YNGHYLCH TAWELWCH

Cerddi
Bobi Jones

Cyhoeddiadau Barddas 1998

ⓗ Cyhoeddiadau Barddas/Bobi Jones
Argraffiad Cyntaf – 1998

ISBN 1-900437-22-8

*Y mae Cyhoeddiadau Barddas yn gweithio gyda chefnogaeth
ariannol Cyngor Celfyddydau Cymru, a chyhoeddwyd
y gyfrol hon gyda chymorth y Cyngor.*

Cyhoeddwyd gan Gyhoeddiadau Barddas
Argraffwyd gan Wasg Dinefwr, Llandybïe,

I
BETI

CYNNWYS

Yn Erbyn Tawelwch 9
Geni drwy Wraig Ddeugeinoed 11
Paent Vermeer 13
Gollyngdod Chelmno 14
Dyhead 16
Bore ar Bawb pan Goto 17
Marwnad i Fferm 20
Penrhyn Ynys Lochtyn 23
Y Crëyr a'r Ddwy Wylan 25
Gwylied Storm Fechan 26
Ail Ddeddf Thermodeinameg 28
Maes o Law 29
Diwygiad mewn Blodeubren-Ceirios Siapaneaidd 32
Daear 33
Mynydd Margam 34
Ŵyn Mawrth 36
Portread o Fardd Balch 37
Portread o Gerflunydd Diarhebol 38
Portread o Wraig a Fradychwyd 40
Portread o Ffeminydd 41
Portread o Wraig Tŷ Anffeminyddol 42
Portread o Ferch i Rieni Ysgaredig 44
Portread o Ddyn Pysgod 45
Portread o Fanecwýn Ddu 46
Portread o Gyfieithydd 48
Portread o Fodryb 52
Portread o Ferch a Dreisiwyd 54
Portread o Ymwelydd Diddychymyg 57
Fy Ffon Gerdded 59

Darllen yn y Gadair Siglo 61
Plymiwr 63
Cathl y Cusan Enbydus 64
Dail o'r Dail 65
Cymdogion y Llwybr 67
Pennant Melangell 69
Moses a'r Gof 71
Byddar a Byddar 72
Coesau a Breichiau 74
Agosrwydd mewn Dinas 76
Gwlad fy Nadau 77
Rhieingerdd i Bechod 89
Marwnad i Blentyn 100
Marwnad i Gantor 102
Marwnad i Iddew 104
Marwnad i Bostmon 106
Molawd i Fol 108
Tair Galwedigaeth Michelangelo 112
O Blaid Tawelwch 113

YN ERBYN TAWELWCH

Heddiw rhyfelwyd â heddwch . . .
Gosodais sawdwyr
â'u stŵr i ddwyn cyrch ar ddistawrwydd
di-lên y tudalennau
hyn. Buon nhw'n huno
yn eu rhesi o gytiau cyn
i'r rhingyll floeddio 'O'r gwely';
a bore brwydr a geir nawr.
Cyrhaeddwyd Maes Ceryddon
â Mawl.
      Mi gais gosteg
saethu'n ôl ei aeon o anneall.
Cais y dyluniad dilinell
ddal i ddweud gydag arddeliad:
'Y diffyg hwn, fe'i diffygiaf â'm holl nerth:
o golli, collaf i yn ymroddedig.'
Ond llonyddwch a blyg dan ymosodiad llenydda.

Geilw'r di-air gwyn ar ei gâr angau i
ymuno yn ei ddiffodd bomiau. Ef yw
lleidr y llais, yswr cytseiniaid,
yr afiach mewn canu'n iach,
adenydd gwyfyn gofod. Ef hefyd yw'r
gelyn dirgelaidd sy'n ildio absenoldeb . . .

Ond
del yw milwyr y dweud: buon
nhw'n hyfforddi yng nghoedwig
fy ngharu; praff yw fy milwyr
pren; ac y mae eu gweflau eisoes
wedi archwaethu'i waed,
y milwyr tegan sy â'u magnelau'n
dileu anian y tudalennau.

Ac wele eiriau fy mand milwrol:

'Anfon'som
am breifat i balu'r bedd hwnnw
o ben sy gen ti. Gwaeddasom
ar swyddog llawfeddygol am drychu'n ewn:
cans o'r tu mewn i'r craniwm hwnnw
ceir basŵn, cri obo, a sŵn
ffliwtiau, timpani, a dwbwl bas swrth
yn mygu'i gilydd megis
y ddalen hon mwyach.
                    Ac wele'r
papur hwn wedyn, druan bach,
yn mynnu agor dwrn heddiw
nes taflu i'r awyr
nodau: eu sŵn a'u ffws
yn cusanu ffurf yw'r arf
rhag oglau o'r gwagle. Cofia nad Tawelwch
a wnawd yn gnawd ac
a drigodd yn ein plith.
Ein brawd, cawd hosanna cad.'

GENI DRWY WRAIG DDEUGEINOED

O'r corff deugeinoed
naid bref ar goesau,
yn wanwyn cantroed
o'i thwyni creigiog.

A hyn yw'r ddolef
fechan, y bachgen
yr esgorodd yr hydref
ar sŵn ei wyndra.

Ym miwsig ansad
y cyntafanedig
tywynna'r hen ddafad
drwy gynffonlonni chwerthin.

O'r canrifoedd crych
daw'r eiliad hwn.
Ger gorwedd ei nych,
y nerf diniwed.

I arffed midwith
teflir y sillaf,
o ddeugeinmlwydd tryblith
yn englyn traddodiad.

Disgleiria perthyn
yn ddagrau ar wlân
y praidd o un
tan hel goleuni.

Drwy syndod plygeinwaith
eira'r aelodau'n
cicio, daw dadlaith
petalau crwtyn.

Dianc 'wna'r prancio,
dadwynegu'n egwan
ar bwys y twyni
ac o'n daear dorrog.

A beth 'wna'r fam?
Mynwent beniwaered
yw hi: o'i thrum
mae'n datod angau.

A thyner yw cotwm
llieiniau'r crud
wrth i'r awen ddandwm
yr ymddiried pitw.

PAENT VERMEER

Dal d'anadl wrth edrych:
        does yno ond adenydd pluog
heulwen. Nhw sy'n iacháu
y trais nas caniatéir
gan fiwsig anhyglyw'r lliwiau.

Dal d'edrych wrth anadlu:
        does dim ond gwallt yn gwrando.
Unigrwydd yw tyrfa'r tawel
wedi dyfeisio serenedd
fel pe gellid paentio dros drosedd.

Clyw'r dodrefn, clyw galon
        y ferch. Blodau yw'r bobl
hyn y clwydodd ei olew
fel gwyfynnod arnynt
i ymgolli'n ddistaw mewn peidio.

Clyw'r goleuni lleddf
        yn iacháu'r rhyfel absennol
rhwng Sbaen a'r Iseldiroedd.
Amddiffynfa yw'r llun sy'n dal
yn ôl bob trais yn erbyn llygad.

Os yw'i bobl ar waith,
        maent ar waith fel cwmwl haf
nad ymddengys, i'r ddaear, yn symud,
ond sydd mae'n siŵr yn mwynhau
fesul milimedr y mân wyro.

Ond os tangnefedd a enilla
        ef yn erbyn straen dyledion
a mynydd o blant, y byd a
drawsffurfia'n wrthfyd; ac arno
hongia, fel y grawnwin, ymatal.

GOLLYNGDOD CHELMNO
(Lle y dechreuwyd yr atebiad terfynol)

Bob amser ceid gollwng baw
yng ngaeaf y gwersylloedd.
Tyfai, yn agos i waliau, garbynclau tom,

fel y pentwr o gesys di-waed,
rhai drud, rhai distadl, ar blatfform
yn byramidiau gyda thocyn enw-a-chyfeiriad.

Ac yn y cesys tawel, noeth,
paciasai mamau fwyd amyneddgar
baban, talc, twmpathau o bowdr llaeth;

mewn eraill ddillad ymarhous,
ffisig. Cesys heb leisiau,
a'r tu ôl yn rhesi unsain, y bryniau baw.

Nid rhwydd fu dyfeisio sawl
cywreinrwydd er mwyn tynnu'r to hwn
ar raddfa mor hael fynyddig;

arbrofwyr oedd y dienyddwyr
yn turio tir anturus.
Rhyfedd mor dwmpathog yw

dychymyg dyn: ni ellwch ei ddychmygu.
Ond nid arbraw fydd baw, ac nid
dyfeisgar yw arswydo'n uchel chwaith. Bob tro

ceid gollwng gwrtaith, dyfrio,
y tu blaen a'r tu ôl, yn ffatri'r
rhwnc a'i angau cruglwythog yn bump

neu chwech o resi ysgarthiad . . .
Yn achos y cleifion ar wahân
i'r lleill a bentyrrai yn yr 'ysbyty'

rhag arafu'u cymdeithion, y rhaid
i'r gard oedd iacháu pob un
yn y gwegil ag un belen fechan ddi-chwydd . . .

A Simon Srebnik, tair blwydd
ger y twmpathau ar ddeg o faw
yn gorfod canu gwerin

Pwyl drwy lwnc hiraethus,
yn un o'r ddau dyst, o
bedwar can mil, a ddaeth o'na,

yn un o'r ddwy gelain a
oroesodd, ac yntau'n ddiddanwr
a greai sbri drwy rwygo'i galon.

Caiff ef glywed y lleisiau, nid
yn unig o'r cesys, ond o'r
gwifrau pigog a chledrau'r rheilffordd

mwy, y lleisiau a lerciai
yn ymyl y baw, a Mynydd
yr Olewydd wedi'i glymu

o gwmpas pob un o'u gyddfau
ac o gylch gwddf y byd baw
sy'n daw . . . tan y daw y tro nesaf.

DYHEAD

O ystafell i ystafell gudd
yr wyf yn dilyn y wên ddi-gorff.
Bu farw'r parwydydd.

Yr wyf yn dilyn y wên frau
ma's i'r gwynt a neuaddau'r gwynt
lle y'i caethiwir yng ngwacter caeau.

O'r holl galonnau sy ynof
ni fedr yr un anadlu
heb ymddiddan â'r cof.

BORE AR BAWB PAN GOTO

Wyddwn i ddim bod bore'n
              bosib. Roedd nos
yn amlwg a chyfarpar y
              nos. Ond hyn,
rhuddemau'r mwydon hyn, a'r gwlith
              ymwthiol o gist y tyle!

Mor addas oedd cusanau'r
              bore am ruddiau'r
ffrwd â darfodedigrwydd deilen hydref
              yn gwisgo sidanau'r
gwynt wrth godi. Pam cuddiodd amser
              ei watsh aur

dan obennydd y gweddïau
              perlog hyn? Mynnai fod yn
bluen eira'n gwarchod drudaniaeth
              ei blew gwynion
rhag cylchdro y syrthio serth:
              celai'r sêr eu cilrewi.

Dôi'r dydd yng nghyfrwy'r
              llewes oren.
Nid creulon oedd ei lygad
              uwch ei chalon,
Dofasid y greadures
              gan lafn ei chwip

nes bod ei chroen yn llyfn.
              Hyd fwng y gorwel
llithro'n waed fesul gem
              o'i cheg oedd y drefn.
Dawns, dawns oedd
              ei hofn.

Ac eto, roedd y bore'n canu
   drwy gydol y noson honno.
O! dywyllwch,
   y fath gân.
Mor addas oedd ei gerrig
   ar fy ffenest cyn ei hagor.

Canai am anadlu newydd
   a thamborinau'r aorta newydd.
Ac o wely'r claf yn Ysbyty Ystwyth
   ystwythwyd cyrff
a wyddai fod yna ysbryd o'u tu mewn
   · a ireiddiwyd gan yr oriau addas.

Dôi hedyn o ehedydd wedyn
   o'r tu ôl i gwmwl
llaes-ei-oglais lluosoglais ei sigl
   i ailblannu
ei dwitian euraid
   ym mwynglawdd

y silff uchaf
   mewn siop
losin. Canrif dy ganeuon
   fydd heddiw. Holaf yno
am werth doler o'u hil ddaffodiliog;
   ac estynna'r Heulwen o'r tu ôl

i'r cownter crand
   cymylog
gorwynt o ddiliau melyn
   heb fod yn orfelys.
Bydd eu bore'n ein boddi mor addas
   drwy gydol y prynhawn hwn.

Drwy imi godi y crewyd y bore.
       Fe'i crewyd i dderbyn y rhodd
yn y fro sy'n uno aur
       yr afonydd o fechgyn
â chopor y morynion
       sy wrthi'n cribo'u tân.

'Diolch siopreg,' mentrwn
       cyn ei heglu. 'Dyma iti
einioes,' myntwn wrth dalu
       senten glec – fel 'na –
amdano fel pe bawn yn bwrw
       allan gythreuliaid

(dysgaf farw ynot
       ti, bluen ddiemyntog y wawrnos;
powdr bom
       yw lindys y plygain
a enfysai'n adenydd
       wedi'r dilyw dunos undonog);

ond rhoir i mi
       yn unffurfiaeth gudd fy mhridd
gan fysedd siapus yr Heulwen
       mor addas, filiynau a miliynau
a miliynau o nwyddau . . .
       Meddwn wrth y siopwraig

a estynnai'i masnach tua'n daear,
       'Diolch iti am lenwi
'masged â chanhwyllau 'wnaed
       o fwng a chalon y llewes.
O ie, ac mor addas hefyd os na lwyddaf
       byth i fforddio'r pris go iawn.'

               (o wely'r ysbyty)

MARWNAD I FFERM
(Parc-y-Llyn)

Claddwyd hi'n fyw: criai'r
Fferm hon maes o'r tir. Dan erwau tan gadw stŵr
Ni phorai'i buches annifyr: ymysg y bywyd gwâr,
    Eu gyrfa fyddai burgynod go lwyr.

Crwydrai'r glaswellt yn wyllt
A'i amrannau rhwth yma'n holi ar bob cornel pam
Am hanner milltir o led. Syn yw gweld gwair a'i siom,
    Dim ond am i fetlin gael ei dywallt.

Llofruddiwyd gloddest o weirgloddiau;
Nyddai'r hyllfyd drwy'i gilydd a gwylaidd dagu'r glas
Â haenen o ro briw; y môr tywyllwch a'i des
    A yrr borfa sgrechlyd i ffoi.

Dim ond gwlybaniaeth mewn chwe chae;
Ond arswydwyd gwreiddiau gwair er mwyn arch-
Farchnad. Daeth brys i fwrw chwys ei serch
    Lle bu'r lloi'n ymdroi.

Lladdwyd gwareiddiad gwair.
Nid syn i'r chwerthin, a ymroliai lond ei fyd
Yn decach nag y gwyddai'r ffair ei fod,
    Dewi'n fwy swynol na synnwyr.

Yr olaf o ffermydd Aberystwyth
Fel yr olaf o Indiaid yr Andes ynghudd tu ôl
I baith. Fe blyg y glöynnod byw yn sâl
    Wrth nythu yn ei rhythu noeth.

A thrwyddi y ffordd a ddaw
I'n gwareiddio. Hyd-ddi diwylliant a yrr
Wyllt-deng milltir yr awr i'n goleuo yn ei thar:
    Od fod Rheidol yn mynnu dal mor fyw

Dan Ben-y-bont. Hyd orsaf
Llanbadarn arllwysodd y danddaear o Annwfn ei hôl
Haelaf ar ein chwaer gyntaf, Ddaear, wedi'r can mil
    Flynyddoedd o'r anwar ddi-dref.

A'r perci uwchben pobl lle bu
Adenydd y crëyr, y dylluan a'r hwyaid oll yn ddail
Ac yn flodau, mae'r dolydd awyrol yn foel
    A gaeaf yno'n finiog ei gynefino.

Heddiw yw'r diwrnod eithaf
I'r buarth diarth rodianna heibio i mi:
Llindegir y pen draw gan ffordd. Dodir creaduriaid dan do
    Wrth yrru am ryw dro i'r dref.

Glafoeria ffenestri'r fferm glwyfus
Arnaf yn erfyniol. Crycha talcen cymen y tŷ,
A gofyn yr wybren syrthiedig islaw pam y bo
    'R fath wên gan ddaear fel pres?

Ar ei hyd, jac-fotasau a'u lledr
Fel angladd nad yw odid byth yn dod
I ben, mewn cylch un-dau o gwmpas y byd,
    A fartsia'u canrifoedd budr.

Eto, drwy'u difancoll, oni thyr
Gwaed pridd ryw ddydd ma's yn ddewr?
Oni weddïir mewn llefydd rhyfedd? Onid addoldy nawr
    Yw rhan o bencadlys Hitler?

A Martin Bormann, dirprwy
Hitler, yn sgrifennu liw rhyfel at ei wraig:
'Gweler na lygrer yr un o'r plantos gan y coeg
    Wenwyn, Cristnogaeth.' Heddiw sut mae

Saith o'i naw yn ei gorfoleddu
Am Breswylydd y Berth? Yn wir, brolir fod un
Yn hedyn o genhadwr. Ni raid i'r gân
        Fudo o bob brig drwy'n bro.

        Eithr, wfft, onid rhy dda i ddyn
Fyddai afallen groeshoeliedig yn cnydio gwyndra poen
Fan hyn? Onid rhy ddewr yr olaf goleuni oddi tan faen
        Yn torri, a'r tu ôl i fynwent, sbrigyn?

        Canys bwganwyd gwirionedd gwair
Gan i donnau aliwn barhau'r dasg o bori'i do
O nos i nos. Does neb unman a eilw 'Na' ar hyn hyd oni
        Fyn y farn ein llorio'n llwyr.

PENRHYN YNYS LOCHTYN

Tir yn rhedeg â'i wynt
            yn ei ddwrn tuag at
y dim er mwyn esgyn,
               whi! yn ynys ddadrithiedig
glymedig gan ei gwddwg
               wrth y corff rhyddieithol;
anial a ffarweliai ag
            anial heb godi oddi
yno eto; atod seithug o awyren
             bridd a rannai'i bro
â'r dŵr ar hyd y
               tarmac gwymon lle rhedai
heb gyflawni eto yr hedeg,
            yn nofiwr a ddysgai –
yn nwfwn – rodio awyr
            heb gyrraedd eto nen ei adwy;

neu dafod rhydd ydyw
            yn dyfod i roddi
(yng nghlust môr) weddi eirias
            sy'n estyn ma's heibio
i greigiau dal-anadl,
            'lan i dawel-leoedd
gwylanod heb esgyn,
            heb ymaflyd ychwaith
yng nghymylau'r dŵr sy'n
            nofio draw, ond, na,
heb gyflawni'i beidio
            â diddymdra'n llawn ond
yn llyfu llefaru ar y llawr
            yn ymyl o hyd,
am na fedr gefnu'n fawr arno eto
            i leibio'r nef ddistaw ei therfynau.

Tua'r môr y mae'r tir am yrru.
                    Does dim un munud
ar ôl, allwn ni ddim
                    fforddio'r moeth o anghredu.
Dim ond ymddiried
                    yn syml. Rhuthra drosto'n noeth
rhag pob amheuon.
                    Dal di'r tamaid tir
hwn yn ysgafn
                    oherwydd dyma i'r nen
yr hyn a gredwyd yn ddaer
                    ond a fradycha'r byd
drwy gefnu arno i garu.
                    Wele y rhed, yr hed
hyd at ddrych yr entrychion
                    y penrhyn sy'n canlyn coel.

Y CRËYR A'R DDWY WYLAN

Ger fy nhro beunyddiol roedd crëyr yn pori,
Ar lain donnog, megis glain dinod.
Wedi ennyd dyma daenu'n osgeiddig adenydd
I estyn ei fodlonrwydd lond yr heulwen hwyliog.
Troellai'i urddas drwy'r mwynhad ehedeg.

Yna, gerfydd cornel ei lygad, dwy wylan,
Hyrddient – gweent am y pysgotwr segur –
Ddwy ordd ar un ebill. Syrthiai ef rhagddynt ryw
Lathen cyn ailgydio yn yr awyr. Rhedai
Hedai am loches, ond ni chaed cwmwl.

Roedd ei harddwch yn wahanol i'w harddwch hwy.
Ond nid dyna'r pam y doniwyd y fath awch
Wrth ergydio, wrth belydru, â gwanu o'r affwys.
Chwifiai ef yn ofer. Dyrnent ef drachefn.
Cipiai ef y gwacter. Ond fe'i llanwent hwythau.

Cystadleuydd oedd ef. Barnent ei fasnachu agos.
Cystadleuai ef led y cyfandiroedd o afon.
Mentrasai i berfedd eu digonedd. O'i gwmpas
Dawnsient hwy. Ond roeddent yn y cylch ar gyfer
Cyflafan: dyrnodiau i'w ben, i'w fryst,

Gwlyb oedd ei gleisiau led awel. Sgarladai,
Gwaedai ef fwy na'i fuchedd – y cystadleuydd
Y byddai'i ddifetha'n gwella'r farchnad,
Gan finiogi'u buddsoddiad. Y wers? Ymunwch,
Os dymunwch heddwch, ag economi diogel pysgod.

GWYLIED STORM FECHAN
(ym Mae Ceredigion)

Mae'n amlwg fod y storm hon
wedi gwneud ei gwallt
yn benodol i'r achlysur. Prysura hi i mewn
yn briodferch i feddiannu'r
tir. Daw'r tir
allan yn landeg i roi'i law i'r flonden.

Rywfodd dyw priodasau
ddim mor wareiddiedig
ag y buon-nhw cyn taenu tanchwa dan lanw.
Wele, mewn eglwys
gadeiriol o don
mae'i gnawd yn ei chnawd, a gorwelion yn dianc

nerth eu traed. Deleila
yw'r weilgi werdd
a Samson sy'n tynnu'r nenfwd amdani'n
ffetus o gonffeti.
Hysterig yw'r cregyn.
A ni'r gynulleidfa syn, mor sinigaidd

y gwyliwn y clwm.
Mae mam y priodfab,
sy'n glamp o lanfa os bu un erioed,
yn ceisio bod
yn ail-ffidil anffodus.
Wedyn, beth wna'r organ? Udo amdanynt,

udo fel adwy.
Yr organ sy'n mynegi
ei hofn am y dyfodol drwy bibau cefnfor.
Rywfodd dyw tonnau
ddim mor wareiddiedig
ag y buon-nhw cyn i'r tir-mawr golli'i rwyfau.

Didenna'r tonnau
mor ddeniadol â morddwydydd,
mor ddedwydd ymhlith blancedi trydan.
Ond y gacen wen
fel clogwyn! A'r araith
gan wyntoedd! A'r llwnc-destunau sy'n ewyn!

Dwi'n falch imi gael
gwahoddiad, gan imi
sbio mymryn o dywydd mwyn fel cochen
yn bygwth y dyfodol
o'r gorllewin acw,
sydd â'i orwel yn ymorol hin arall.

Yfwn i hyn o wrth-
drawiad. Od fel yr
ymsefydlwn mewn perthynas mor sigledig.
A ellir, allan o'r gwyllt,
esgor ar gyd-barch
dyddiau, a nosau cynganeddus?

AIL DDEDDF THERMODEINAMEG

(fod y bydysawd oll yn dihoeni: mae'r haul yn oeri,
nes y bydd y cwbl ryw ddydd heb wres.)

Oni bai am y dihoeni hwn gan haul
a'i chwalfa fflamau hyd at draul
ni byddem fyw . . . Mae'n ha'. Mwynhawn
y diwedd. Drwy ymdlodi'n llawn
y cawn ein cynhesrwydd. Dihatryd i gyd
yw âm yr ha'. O! am ryw hyd,
fel nad ymchwalai'r cydfyd oll,
O! am ei atal . . . Eto, ei goll
yw'n caffael ni, oni bai ei roi
nis derbyniem ddim. A heb y troi
gan chwyrligwgan darfod gwiw
ni chawsem waredigaeth fyw.
Oni bai dreio uwch balchder byd
bygythiai'i wallt yn hallt o hyd.
Nid syn bod sêr, sy'n gawl o gân
mewn nos, yn rhoi'r fath wincio glân.

Ac oni bai am ddihoeni ar ddaer,
ni fynnai hyderddyn geisio'n daer
guro ar ddôr. Oni bai am hyn,
ni theneuai'r traeth, ni ddirgrynai bryn.
Ni lithrai'i lethrau o un i un,
ni chiliai'r galon nes bod moroedd du'n
tagu'r holl ynys heb ond un clwt mân
o bridd yn y canol ar ôl, heb dân.
Cariad oedd hwn. 'Ti'n gweld,' myntai'r gwres.
'mae dawn ar ôl i wneud rhyw les.'
Ac yna, o'r pegynau mi droes y dŵr
i dramwy ar draws y clwt hwnnw'n ddi-stŵr
nes ei gelu yn ei gôl. Boddwyd pob bai.
Eithr yno lle nad oedd drywydd o drai
rhoes ceidwad yr ynys ei ysgolbren i ti
'n *deus ex machina* o gyrraedd y lli.

MAES O LAW

I

Gwirion yw'r gawod i gyd ymhlith
      sbwriel. Mewn blwyddyn naid
o funiau, tuniau ffa, a ffurflenni

y daw'r gwreichion nef, yn ifancach
      na difancoll, briwsion môr,
yn bryfed-gwawl i'r cawl.

Nid dyma'r union anaele i lawio
      globiwlau eli, babanod
sy'n bwnio, llygaid Croes ffurfafen.

Deil yr wybren yn dynn wrth ei phen ei hun
      heb draed: mae'i thrwyn yn ddyledus iddo
am oroesi ac nid heb reswm.

Llongddrylliad yw'r haul ynghanol y sothach
      suddedig. Mae'r rhewgell droednoeth
mewn llaid. Ai'r diolch oll a olchir?

Cae od i gawod. Ac eto,
      er mwyn y fan hon y glawia-hi
er mai yn ei herbyn ei hun y tanseilia'r

carthion. Synna'r rheini gan gusanau'r
      sêr, drychau'r morgrug,
merchetos yn gollwng eu tywalltiad gwallt

yn annibendod meddant am ben dim byd,
      llond nen o lendid yn gwyndra
afradu ar fochyndra. I mewn i'r diffyg

nod y sathra'r manion
        eu hanwesau. Ond nid yn hollol seithug
y trawant wrth reswm. O achos, arhosa:

bylbiau pwrpasol ydynt: plennir cynlluniau
        awyr drwy'r domen. Ac wedi darganfod
yn yr anhrefn y drefn, maes o law, blodeuant.

II

Deuthum heddiw i ymwybod â bodolaeth
fy nhipyn maes fy hun o'i herwydd. Buaswn yn dra esmwyth,
a'm croen heb deimlad. Ac yna, y glaw a'm gwnaeth, –
ei ymyrraeth. Felly hefyd (fy Nuw) yn drwyth,
Dy fod; ond fel arall; oblegid Dy fodolaeth yno
Ei hun oedd yr ymyrraeth, presenoldeb lle bu llonydd
diffyg bodolaeth yn fynwent dynn amdano
fel carthen, roedd Dy wybod wedi diddiffodd fy ffydd.

Curet Ti ar fy nhomen, trawai pob dafn
ar fy nhalcen llyfn. Yno, Dy fodolaeth Di –
coed yn bracsan drwy'r pwdelau gan gicio'r
llawenydd fel plant, gwrychoedd yn stablan
yn y llaid llwm, yn disian drwy'u clustiau –
ynof, drwy Fod, tu mewn amdanaf o'r nef
a oedd yn wefr ar wefus, ar rudd, oherwydd Dy lafn
yn gawod gaeau, yn swyn ar hyd fy llwch diynni,
yn feddiannol fwyn wrth wreiddyn, yn dreigl ar dref.

30

III

A rhedodd afon allan o Eden,
bwrw'r domen sbwriel
fel pe bai'n gwneud bale drwy balas.
Chwifiai'i chynffon ar y ffordd
i lan y môr fel oen
yn dawnsio o'r lorri i'r lladd-dy.
Roedd hi'n rhuo'i bod yn rhywun.

Ymlaen â hi rhwng pebyll y borfa
wedi'u dymchwel i'r llawr. Roedd y domen
sbwriel ei hun bellach yn ei meddwl ei hun
yn ei ffrog arian symudliw
ar y ffordd i lan y môr
fel y bydd y gwynt mawr yn coelio'i
fod yn bodoli nes
iddo gwrdd â'r haul bach
yn rhedeg i'r traeth â'i raw.

Felly yr aeth y domen ohonof bellach yn
esgus bod yn rhywun yn llawn ei gwallt
o ffrwydron dyfroedd, cusanau
seiniol, dagrau digrif. Does dim
syndod ei bod yn ei meddwl ei hun,
oherwydd, yn orlawn o'r fath garthu carthion
gan wybod sicrwydd y cefnfor a'i harhosai
ac a oedd eisoes o'i mewn,
yr oedd hi mewn gwirionedd
– na tharfer yn ôl d'arfer – *yn* rhywun.

DIWYGIAD MEWN BLODEUBREN-CEIRIOS SIAPANEAIDD

Y Sul diwethaf dau
flodyn oedd yn glod
unig, y naill ar gainc
isaf a'r llall ar frig

mewn eglwys a oedd bron
yn wag. Doedd dim angen
ond yr haenen leiaf o des
ynghyd ag wythnos, a dôi

sancteiddrwydd rhos yn garthen
ffrwydrol, hufen-iâ pinc
sy'n ddafnau diwahân bras
ar deisen-briodas o bren,

cwmwl haul wedi canmol
y cyffwrdd gan ryw fatsien
o wythnos nad ildiai i gynildeb:
pren fwlgar mewn priodaswisg.

A dyma orgaru'n din-dros-ben
fel wedi gweddi wresog
lawenhau wrth dderbyn yno
wisgoedd gorfoledd y disgwyl

a brech o angylion drostynt.
Wythnos arall – a bydd yr oedfa
yn gonffeti dan draed syn,
a'r gweld na ellir ei ddileu

fel petai'n flanced i fedd.
Ond mor falch oet enaid
wedi'r oedi iti fod ynghynt
yn un o ddau ar golfen.

DAEAR

Cwympodd y blaned o'n cwmpas,
taro'r gwagle, trwy'r gogledd
a'r de chwalwyd y lle yn llwyr,
a daeth yr arolygwyr dwys
i chwilio'i gynnwys i ganol
y chwaliad . . . Ble mae'r blwch?
Wedi i'r awyren daro'r gofod,
ble mae'r blwch du'n cofnodi
yno'r achos? Rhochian a wnâi'r
nos, nid oedd yno neb
nas deallai'n iawn.

MYNYDD MARGAM
(uwchben Porth Talbot)

Ambell waith

                    mi balla'i wyll:

    fe â y fall
        yn hollt o'r neilltu.
    Gwena gwg y mwg

                    am egwyl.

Mae yna adar

                    rai munudau

    yn dal â'u dwli
        hyd yn oed heb goed,
    mi gydiant yn yr wybren

                    â'u carolau arobryn

wedi nos,

                    a dwyn eu sidanau

    swˆn, yn sigl
        trwy'r trwch. Melir
    y tawch, a molir

                    tân. Cerir

bwlch gan y côr bach.

Weithiau

                    y gwyll sy'n methu

    er mai braidd yn hir
        yw'r gelyn yn clirio.
    Nid yn unig yr adar

                    sy'n para:

goleuni sy'n glanio.

                    Gwell na thwndis gwylanod

    yn od o nwydus
        ar draws y waun
    drwy'r drysau, mwrllwch

                                sy am arllwys

awyr yn deneuwawl.

                                Mi gilia mwg olew

    a ffrwyna ias
        ffwrneisiau o flaen
    y fagïen flin.

                                Does neb, heb

eithriad, yn credu hyn.

Ambell waith

                                mi balla'i wyll

    gerbron gyr
        brau. Dim ond defaid
    (am ennyd ofwy)

                                sy'n dyfod

ac aros ar y rhos

                                yn rhydd,

    y defaid arwrol
        difiog, y defaid
    bychain difudd

                                yn y bwlch bach.

Holi y maent

                                ei gilydd yn syn:

    "onid oes un,
        onid oes ryw reswm
    i braidd di-sut

                                redeg drwy'r adwy

ar lun gleiniau goleuni, wedi'r adar?"

ŴYN MAWRTH

Gwallgof yw'r borfa odanynt. Hedant fel
crosiedau rhag i'w lafa hi eu tewi mewn sefyll,
yr ŵyn sy'n syrthio ar eu trwynau.

Tania'r glaswellt wrth daflu'u clytiau golau i'r
heulwen wlân. Uwch yw'r coesau ôl wrth i'r gwynt

fyrstio. Clywch fref eu gwawn gwisgi'n mygu mamogiaid.
Gwallgof yw'r nen odanynt. Beth ŵyr awel

am syberwyd? Yn ei gwallt dwl mae daffodiliau,
mae hadau rhwng ei dannedd. Cymer y nen

yr ŵyn gerfydd ei llaw rhag i flodau'r menyn
eu cynnau fel gwlith. Clywch fref ei pheiriant

sug yn galw Ebrill. Gwallgof yw'r gwaed odanynt.
Ni chlywodd y gorwel gymaint o aelodau bychain

yn feddw chwildrins â'r cantorion hyn.
Clywch y sêr yn prancio sillafau hurt yn y llaeth clau,
yr ŵyn sy'n syrthio ar eu trwynau . . .

Glai hedegog, na ofidia fod y bydysawd dros dro'n
twmblo mor wyllt â llygaid pen-blwydd. Caiff bref

ffrwd eu mynydd ei sychu'n fasnachol drannoeth
wedi'r 'noson cynt'. A minnau wrth sbïo ar eu celanedd,

yn sobor fel coffi, fe welaf – ar blatiau – blant wedi'u
datod ym Mhalesteina, – mewn siopau cigydd, wragedd

crog o Fosnia, bwytâf eu tawelwch. Cynffonnau fydd
cinio'n cysgu gyda hyn yn y diffyg neidiau. A myn

bref ein boliau a sbonc y grawnwin coch
rhag gwydrau gwag ddiferu'n hedifeirwch hyd y caeau mwyn,
am yr ŵyn a syrthiodd ar eu trwynau.

PORTREAD O FARDD BALCH

Ac ar ôl y chwysu, neb,
doedd neb am glywed dim,
darparwyd byddardod heb
awen. Bu gras yn llym.

Ac ar ôl y cwbwl, hyn,
ar ôl y stranc a'r strach
a'r stecs. Pam bod mor syn?
Gwyddet fod bywyd yn fach,

nid am dy fod heb fesur
mai fel hyn roedd Awen i fod
ond am fod balchder galar
mor anfeidrol glau yn dod.

Ffei di am uchder dy din!
Beth roet ti'n ei ddisgwyl? Sws?
All bardd ond plygu glin
i'w llun heb ormod o ffws.

Nid brenhines mohoni. Ond ti,
nis dirmygaist: sychaist dy swch
yn ei thraed; cans tloten oedd hi
ar waith ynghanol dy lwch.

A gwyddet mai methiant oedd
cael dathlu'i chynhaeaf gwae
er bod yna fymryn o lwydd
ym miwsig edifarhau.

PORTREAD O GERFLUNYDD DIARHEBOL

Y to biau'r cornel tywyll. Lan
y fan yna, Arglwydd, o olwg

rhwydd y rhai sy'n rhuthr tua'u swydd
heb sylwi ar y mwnci 'man-'cw ynghrog

yn dywysogaidd dan fondo didaro
yr eglwys gadeiriol, mae-'na gerfio

manion. Mae-'na glod i Fod
a fydd yn nodi i hwn isod adael

ar ei ôl ar y llawr ulw gynhinion
o weithredoedd gan hunan. Lan y fan

yna rhyngddo ef a'i nef y myn
i'w gŷn lefain mawl. Hyll

o dywyll i'n daear yw'i dref; ond gydag
ef y nef sy'n ymafael mewn gwawl.

Mae e'n gêl rhag sathr y rheg
sy ar frys. Ni flysia chwaith guro

dwylo (nac oriau diliw) y gwŷr dylif.
Rhan eos unig ar ynys anial yw rhoi

i'r nen aria'r nos; y trysor
a gafnwyd dan gefnfor treisiol.

Gwefr-ranna â'r to ei gyfrinach;
a honno sy'n peri iddo'n ddihaeddiant

ddringo tua'r Iôr bob bore o ystyllen
i ystyllen i dyllu, ildio'i enaid

ar sgaffaldwaith. Ai'n ofer i'r anwel
y cyfranna'i eiriau iraid? . . . Y llun hwn

'fyn yr archoll ohono. Nid yw'n syn
ar derfyn ambell dwrn os clyw lais

(ei gydwybod mae'n siŵr) yn codi,
'Purion oedd peri'i guddio rhag pawb

arall.' . . . Do. Mi glywais siarad
am y glew siriol mor gêl yma

o'r golwg yn cynnal ei ofal ufudd.
Ond heno tynnai gŵr y llechu, a garai'r

llechi, lluchiai at y ffenestr yn lluched
ddigon o dywyn i'w hennyn funud. Lan

y fan yna yn y tŷ tywyll,
y mud i gyd a drôi e'n gân.

Ac yn ei gwr yno, ar ben o garreg
clymai goron nas gwelai ond colomen.

PORTREAD O WRAIG A FRADYCHWYD

Gan yr un sy'n caru fwyaf
y ceir lleiaf o rym.
Mae'r tila mewn teulu yn cael
gwneud popeth a fyn,
ond dygymydd y gawres garu
â phob dim.

Yr un sy'n caru fwyaf
yw'r faddeuwraig wyllt.
Rhy rwydd yw'r trothwy
i mewn i'w thrugaredd drist.
Ond fe fyn y tu hwnt i funud
gân na hyllt.

I'r un sy'n caru fwyaf
y bydd mwyaf o boen,
y gwaddol gwaedlyd, y perl
cragennog mewn poer,
y derbyn nas ceir 'fan hyn ond
drwy roi pob rhoi.

Hi yw tlysni tylwyth,
hi yw'r ddolen ddur
o edau ystyr, hi yw'r dathliad
gwerth, hi yw'r clod i'r cudd.
A hi, sy'n caru'n ffyddlonaf,
sy'n perthyn yn wir.

PORTREAD O FFEMINYDD

Oherwydd na bydd gwraig, nad yw'n hwren,
yn cael cerdded ar led liw nos
fel ni, oherwydd na chaiff ambell swydd
mor rhwydd chwaith â'r rhai sy heb
ddeisebu'r dasg ddrud o esgor, wyf
innau'n fenyw. Ac oherwydd y fath
gyhyrau o fod efo hi, wyf
innau'n fwy fyth o ŵr . . . yn ddu
hefyd os gweli di'n dda,
a minnau'n sgut mewn sgyrt.

Am i hon gael ei hudo gan ystrydeb anrhydedd,
llinynnodd yr amlwg fel cyfog
dros ymyl y bad. Dewisodd 'gywirdeb'
yn injin ddychymyg ac aeth yn hwter wrth
hwylio drwy'r tonnau slogan. Mae rhai
a gynigia gyrff eu celfyddyd i'r dwfn
oherwydd hen foddi benyw. Derbynia
dithau'n oddefgar felly (ferthyres y dylyfu
gên) deyrnged cwrtiwr yn llais ei bais
a ymgryma gerbron brenhines y sgrech
tan estyn, ar glustog ermin, ei edifeirwch.

PORTREAD O WRAIG TŶ ANFFEMINYDDOL

Nid gwraig mohoni yn unig. Y mae mwy eto:
nid yw hi erioed wedi gweld dim ar glawr gwlad
mor brydferth â brat. Gyda dŵr rhedegog
yr erys ei dyfnaf ymddiddan. Yn y gegin
wrth smwddio'r crys mi dynn hi'r breichiau
nad ydynt ynddo ati-hi; ac aroglau'r croen
absennol yw'r orsedd sy'n coleddu'i hysgwyddau.
A hynny yng nghynffon radicalaidd yr ugeinfed ganrif!

Ac nid crefftwraig mohoni yn unig. Y mae eto fwy:
ymddiriedaeth ffarwel a hyder ansicr y codi
llaw tua'r plant cyn dychwelyd i sefyll
a phendroni mewn colli araf, a chysgodion
yn cylchu cysgodion llon. Ar silffoedd ei mynwes
Mam Fawr rhydd y llestri nawr i gadw, ond yn
ei bysedd ffarweliog y plant sy'n frau; ar geinciau
dewrion tirion yr ymdry'u hegin yn Ionawr.

Yr hyn a dywallta heddiw i'w phadell yw
cyffro dynol cyffredinedd, cyfyngiadau
pwrpas sosban ac aberth diamyntaidd y sinc.
Gwena yn syber o'i mewn ar y papur wal beunyddiol,
ac eto ni chanfu tŷ erioed gynifer o angerddau
ag a geid, ar ei phen ei hunan, ganddi hi.
Hyn a'i caethgludodd ers tro i fro gorfoledd,
ond nid yn Bob Menyw, gan nad yw hi'n amgyffred dim
gwell.

Canys hi fydd pencampwraig godidowgrwydd distadledd.
Hi biau'r wobr am brofi mor annwyl gan
yr anferthedd yw'r tap a'r ffwrn. Crynhoir – mewn

celfyddyd fân, – nwydau'r glanhäwr trydan, ymerodraeth
cŵyr dodrefn, hen ddifrod glân y coginio tŷ
a'i gynllunio drwy draul, ac uchel hëyrn-
smwddio, yn drwm o felonau'n darfod dros y dysglau
a bysedd aneirif yn cyfrif aur haul mewn dwster.

Ond eto, nid adwaenid erioed ynddi mo Ddynoliaeth.
Yr hyn a adwaenid oedd (yn ddi-deitl) Gwladys Wilias
a oedd yn Gymraes oherwydd ei diffyg hyder
ynghylch hunaniaeth, a oedd yn gymwynasgar tuag at
gymdogion a glaswellt ei lawnt, cenedlaetholwraig
'anymwybodol' ei theulu mewn gwlad go iawn
ddiderfyn ynghanol y cwpanau, heb erioed lwyddo
drwy drugaredd (yn fenywaidd) i dyfu'n Ddinesydd Byd.

A'i gostyngeiddrwydd a'm lletha. Fe'm gwasga i'n bwlp
i'r ddaear. Chwipia hi fi â'i gwasanaeth nes bod
gwrymiau ar hyd fy nghefn. Fe'm difoda'n rymus.
Ei chywair bellach yw'r unig nod i'r gwryw dyfu'n
aeddfed. Hi yw'r patrwm sy'n caniatáu adnabod
hyd yr eler. Sut y gall balchder byth
balfalu drwy'r jwngwl tuag at ei rhyddhad? Er fy mod ynddi
oherwydd peth dirnad wrth nabod clod, y mae mwy eto.

PORTREAD O FERCH I RIENI YSGAREDIG

Bellach bydd angen ei selio am ddau gan mlynedd,
Ei chloi, a gorgloi pob agorfa, pob agen, pob crac
Yn ymyl ei bryniau hardd, y dyffrynnoedd hap.
Ar un adeg bu ei hynni'n lled neidio i oleuo cartref
Lle y bu gan bobol damaid i'w ganu gefn trymedd
Nos. Na chyffyrdder â hi mwy ond â dwylo tan orchudd
Plastig. Mae'n methu â maddau, mae am fynd, mae'n lluch –
Canys o'i mewn gorwedda'r anghyswllt a nyddwyd ynddi
Na wna ond lloeren ei blicio ymaith, ymaith.
Ac o amgylch hwnnw mi leda'i chroen-gwyddau lledr
Yn fantell ddiflannu nes cyrraedd y cytser. Wedyn
Yn blisgyn amdani, wele'r wisg ofodreg yn waliau
Tyn, gan adael i'r dyfodol ei datod. Ei hwyl
Fydd alltudio'r ddaear gynt o'i mewn, na fu'i hafal,
Tan gadw i'r oesoedd a ddêl y cofleidiad na fu.

Ac yn awr am ddau gan mlynedd caiff hwyl mewn siwrnai
Wagle, gorwedd, estyn coesau yn y cabin. Ymysg
Atgofion am wynfyd goddefiadeg ei dydd,
Ar ei bol wrth fudo, yn fud wrth lolian ymaith
Hyffordder ei hangof, dysger iddi mor araul ddiddig
Yw cynefin y capsiwl, yr hedfan mwyn sy'n ei mynnu.
Pridd daear a ysgydwa hi 'bant wrth ddewis gyrfa
Awyrol. Wrth symud ma's ma's i'r rhydd-dra hael
A arlwyodd ei thad, ac wrth iddi ddianc mor ddel
Rhag godineb didrafferth a rhyw dipyn o gêm y pres,
Mae'r eangderau yn ei chell yn sydyn serennog.
Yn ddiomedd am ddau gan mlynedd caiff hwylio rhag cymaint
Disgyrchiant, rhag ing ei hangor, rhag talar y teulu,
A'i thraed yn chwifio rhwng parwydydd mor ysgafn bell
Eu cyfeiliant i'r fföedigaeth gaeth mewn cell rhag cell.

PORTREAD O DDYN PYSGOD

Caewyd y siop. Doedd gynnon ni ddim llys.
Dygwyd pompren cymdogaeth. Nawr 'wyddid fawr am ferch-
Yng-nghyfraith Mrs Wilias (gan Mrs Jôs).

Cyrchid mwyach yn un ac un i arch-
Farchnad i ddodi ar fedd adnabod dorch.
Caewyd y siop, honyna a fu gynt yn blas

I gyfarwydd raffu storïau gwerin. Twrch
Trwyth oedd 'shw-ma-i?' Yna, ar ein traws a thros
Y gorwel, o'r goedwig frics, llais llednais bas

Â'i fan 'ddaeth. Gwerthai gipers. Clywch ei farch
Yn twtŵian gweryrad macrell. Dan ei wŷs
Corlannwyd y llan yn ôl. Ac ar ei chyrch

Wythnosol nawr myn Mrs Jôs, wrth estyn pres,
Ymofyn am ryw ferch-yng-nghyfraith. Dyma barch
Cyfarchfyd wedi'i adfer. Doedd yno fawr ond crys-

Bais lawn, cot wen, a throstynt das
O wyneb. Ond drwyddynt hwy mi noddwyd serch
Rhwng tai . . . Mae'n bryd i'r byd oll holi'i bris.

PORTREAD O FANECWŶN DDU

Roedd hi'n cerdded i lawr
    grisiau eboni
ei chorff ei hun. Nid oedd yno fawr
    ond urddas,
y wraig fuchudd a gopïai'r
    wraig wen.
O ris i ris y dylifai diliau'i
    bodolaeth
dan y neon a oedd â'i haul
    am ei hanweddu.
Gorymdaith o gnawd oedd ei rhawd,
    ond atgynhyrchiad.
Byddai angau'n ei tharo
    i'r dim,
meddai'i hisraddoldeb, ac yn mynd
    gyda'i het.
Rhodiai hi'n arafaidd i lawr hyd waelod
    ei meddwl,
nid oedd fawr o bellter.
    Tywalltwyd hi
ar draws y grisiau duon
    fel molases
neu dar. Dyna'i rhodian drwy'r
    dynwarediad
fel ewig heulog na cheisiai ymdebygu
    i fuwch.
Hyhi oedd y llifeirio cyflawn a estynnai
    benllanw.
O'r Amynedd! onid oedd angen
    llithrad go iawn
arni hyd graidd a gwraidd
    y gruddiau

a addurnai'i chrwper mor
　　　　　　hylifol?
Yna, digwyddodd, ei choesau a dasgai'r awyr
　　　　　　　gan ddrysu gorlif
ei hefelychiad, nes bod ei dwylo
　　　　　　lond y nenfwd
heb gyfeilio i'r un ewyn gwyn mawrhydig –,
　　　　　　sblos sblais
esgyrn can, croen crwn, yn sleisio'i
　　　　　　　huchelgais yn
sgwd chwifiol. O na fwynhâi hi'r
　　　　　　mynydd digyffelyb
sy'n coleddu syberwyd y lafa y rhofiwyd
　　　　　　hi ohono.
Y drugaredd fyddai pe dôi peth o'r awyr ati
　　　　　　o'r Affrig i'w
hysgeintio fel baban hapus mewn tasgion llaid
　　　　　　ym maddon cynnes
ei lliw. Ac wedyn, efallai, clwtyn i sychu'r
　　　　　　eboni myfyrgar.
'Mwyaf ffŵl ti,' meddai'r fanecwýn wen
　　　　　　'am beidio
wrth ddisgyn tua'r gwaelod arferol â defnyddio
　　　　　　grisiau teidi.'
'Ha!' meddai'r grisiau, 'ni chwymp byd heb fod
　　　　　　haeddiant yn ei wthio.'
Eto, o'i gweld erfyniwn – 'Arglwydd, tosturia
　　　　　　wrthym ninnau bob un.'

PORTREAD O GYFIEITHYDD
(I Joseph P. Clancy)

I

Gwystlon a ddeliaist ti pan lithraist am
    Ben ein mudandod:
I'n hwyr dest â gwawr i'n cipio. Troes pob cam
    A wnest yn syfrdandod.

Ysgydwaist hudlath dy wawl uwchben cân
    A'i chrydda'n wyrth arall.
Lle llechai'i phobl ei hun mewn cysgod iaith
    Y deuet â deall.

Ar dro drwy benbwl canfuost y llyffant, a'r waith
    Wedyn y chwiler
A löynnodd ei dderw'n fesen, a'i flinder yn daith,
    Odrif yn gyfnifer.

Ac felly yn y drych y gwanwyn a sbïai'r haf
    Yn ymddilladu,
Hidrogen 'welai ocsigen yn ddŵr, gyda'u cyfnesaf
    Cynefin yn Gymru.

A chynnig wnest ddau amhosibilrwydd braidd,
    Sef oedd y cyntaf:
Chwilio dan haenen o Ewrob dywodlyd gras
    Am fraster cynhaeaf;

Chwilio dan waed a chof ac esgyrn briw
    Fel pe baet yn gadno
Am gwningen seiniol o'n gorffennol clyw
    Na ddihang'sai eto.

A'r ail, A! hwn yw'r amhosibilrwydd llwm
    Sy'n swm mor gyfoethog,·
Sef tanseilio'r afreol frenhinol mewn strydoedd cefn
    Â threfn hen d'wysog.

Ac am dy fod yn gerdd dy hun yr wyd
    Drwy dy gyfieithu
Yn dir. Am dy fod yn dir, tywod ei hun
    A erfyn dywynnu.

Canys nod dy drosiad yw ymatal rhag trosi. Gwn
    I ti'n anhunanol
Fedru priodi llais â'r llais hwn
    Yn adlais i'r adleisiol.

Y gwreiddiol a gura'r drws i balfalu ma's,
    Ond yn lle ei adael
Ma's, y cyfieithydd a ddaw i mewn
    Â'i roddion araul;

A'i ddewiniad yw'r ddyfais i rywun fod
    Cyn ymadael yn gymydog,
Yn efaill Sïam, alcemydd a dry air yn aur nes dod
    Yn gyfle i gyflog.

Twnnel dan sianel wyt rhwng dwywlad, a'r dŵr
    Uwchben yn eirias;
Ac o'i herwydd, cynhwysydd trefn dan stŵr
    Yn dynn berthynas.

Drwy glais yn ystlys chwith y ffair
y sengais i tan gloffi i mewn
i neuadd o ddrychau hen o ffres.
Ces i f'arwain ar grwydr mewn gwe
ddrychau. Mae'r llygad y mynnais i
edrych drwyddo'n wrthrych gweld:

"Tew wyt a thenau mewn crëwr gwych
sy'n crio'r gwir. Dy weld a'th lwnc
i'r dim, ac yna cwympi i lawr
tan d'isymwybod. Est ti'n ddall
wrth ymbalfalu'n ôl. Yr wyt
ti'n d'yrru dy hunan ar draws ochr
y llwyfan lle y chwerddi i mewn
i'r esboniad. Unig wyt o'r bron
yn dy gwmni yn y gwydrau a'th yf.

Plymi a nofi a thasgu i'r dŵr
heb gyrraedd y lan, os oes 'na lan.
Ni ddihengi, fe'th amgylchwyd gan
wydr. Mewn cell dryloyw rwyt
ynot dy hun. Croeso i'r ffarwél
i ti dy hun. Yn un o ddau
sbïwr yn dy wylio dy hun ar goll
mewn hollt sy'n dawdd, dilyni smic
a gwên a fflach pob cilio'n ôl.

Ynddynt caethiwi bob rhyddhad.
A phan gyrhaeddi'r drws – A! ti,
gwyddost ti adael rhywun mân
ar ôl wedi'i gofnodi'n fanwl ar
ymadael araul afon hir.
Ac eto, gweledydd gyfaill fu

yn dy gofleidiad hwnnw draw
yn orig bitw ditw'r byd.

Ac nid y gwir yn unig i gyd
oedd y briodas; eto, cytûn
wahanrwydd mewn ardaloedd chwâl
'glymwyd ond heb golledu pwt
o'u hunaniaeth, dwy iaith fawr mewn un
pwll bach, neu o leiaf bron â bod,
lle y bu drychau'n dy lawio di
ond heb dy foddi yn eu môr."

PORTREAD O FODRYB

Disgwyl oedd ei dysg. Roedd ganddi ddigon
o rym i agor un amrant. 'Sut
ych chi, modryb annwyl?' Pallodd y nerth
a fflopiodd y llipryn yn ôl. 'A ych chi'n
ddigon cysurus?' 'Sobor o dda,' crynhodd
fymryn o gyhyren i ateb, wedyn
dychwelyd i'r ysictod dianadl ac i fedrusrwydd
rhwydd methu ag aros ar ddi-hun. Wrth agor
ei llwnc, fel penbwl yn smygu dan yr eigion,
roedd hi'n cau. Fe'i gwnaethpwyd hi dros flynyddoedd
yn garchar fesul cell. O eco i eco
plisgwyd ei bedd o gorff a'i synnwyr
nes nad oedd a adwaenem ond cysylltiad
diarffordd ei ffurf â rhywun a adwaenem
rywfodd gynt gynt mewn tirwedd amgen.

Bu farw cyn marw. Ond ni chafwyd un dydd
penodol i'w galaru. Heb fod ffin
yn dynodi'r mynd, gorffennai mewn niwl
nad oedd mo'i gylchu ond a ddechreuwyd
yn y geni. Lle bu olion bodiau traed
yn ddawnus ddawns ar hyd y Llwybr
Llaethog, 'nawr ar gadair ger y wal
ceid disgwyl, disgwyl i'r Cyd-ddawnsiwr ddod,
Cyd-ddawnsiwr a'i rythmau rheiol. Ond ai byw
oedd peth fel hyn? Ai deall byw oedd sbïo
allan am eiliad fer bob awr, bob dwyawr
i sicrhau fod y byd ar ôl cyn ymollwng
yn ôl yn ddiddim megis mandwll mewn balŵn
mewn parti Nadolig i'r swigen o ferch a fu hi ers talm?

Llachar o hyd er dryllio'r dilyw delweddau
oedd yr atgofion a hedai'n garpiog o'i deutu
am anwyldeb tuag atom ni'r meidrolion
di-ddawns ar hyd y wal anghofus,
a ninnau'n disgwyl, wedi'n hatgoffa mor
ychydig y buom allan yn nyfnleoedd
y meddwl llawn, a ninnau wedi glanio mor ysblennydd
i lawr yng nghilfachau'r anneall sy ym mhob deall.

PORTREAD O FERCH A DREISIWYD

Petholwyd hi
        pan ddaeth y tri
           â'u pethau.

Lluchiwyd ei hesgyrn
        led y llwch,
           a sgrech

Oedd gwern yr hwyr.
        Ysgydwodd
           magwyr yr eglwys

A'r fynwent
        ar eu pwys.
           Yr oedd ei llaw

Yn faw.
        Roedd rhaid i nos
           wrth yr udo noeth.

Llwydai'i choluddion
        yn y llaid.
           Ei phen

Oedd cylla,
        allan.
           Agorodd pridd.

I lawr drwy'i ganol
        chwyrlïodd
           ei gweddillion,

Ysgyrion gwddf,
        y glust,
           fel pe bai wrthi'n

Chwilio am orffwys
        mewn affwys,
           llygaid dryll,

Creirfa
        a flingwyd,
           trionglau pensaernïol

Yn ddiwylliant ar hed i lawr,
        ar draws,
                i lawr
Mewn ffurfiau gwâr
        drwy'r âr
                yn addurn addas
Drwy hollt y tir,
        drwy'r bedd
                ar agor nawr,
Dros y grisiau tân
        a lled ochneidiau'r
                afonydd
Lle y
        collodd y
                lleuad obaith; a darnau mân
O wythiennau babanod
        a eisteddai'n feddw
                mewn llaid.
Ac nid oedd dim
        ar ôl
                pan giliai'r triawd
Ond peth
        a ddefnyddiwyd gan bethau,
                bloedd di-sŵn
Pwyll
        yr ystlumod pellaf.
                A hyn yw cariad!
Dyma wrywod!
        Hyn byth
                a dim ond hyn
Yw perthynas
        un ac un.
                Sut byth y caiff
Hon eto
        ganfod yng nghysgod

55

llygaid llanc

Y parch

   a'r ymostyngiad

      a nawf mewn glesni?

Plyg hi yn awr

   yn ei chwrcwd

      a dechrau sibrwd

Gwiriondeb

   wrth y borfa.

      Wrth y sêr

Gwena

   mor benwan â thylluan

      a anghofiodd

Fodolaeth llygod.

   Mor bur

      yw bod yn beth.

A gŵyr yn fodlon

   y bydd y noson hon

      yn pasio,

Ac o aros,

   daw nos arall

      heibio'n iawn.

Bethan fu'i henw. Faint o beth fydd hi mwy?

PORTREAD O YMWELYDD DIDDYCHYMYG

Yr un hen daith bob hin, yr un olygfa
o geir. Ar yr un fainc beunydd y tu allan
i borth y fynwent, eisteddai fel pe bai'n
gyfforddus farw. Bob dydd, ers deuddeng mis,
disgyrchai ef er na ddeallwn mo'r moes i fwrw'r
oriau mewn oferedd. Mi ymddangosai
hyn (am arferiad) braidd yn dila.
                                        Yna,
goleuwyd y cwbl heb ddweud dim byd. Dinoethwyd
y clwm a'i gwnaeth ef.

                        Ni wahanwyd erioed
mohonynt, er bod y llw ar ben, 'hyd oni
wahenid hwy gan Angau': y mwlsyn hwnnw
a ymwelodd â hon a 'madael, heb adael y gŵr.

Dôi hwn, wedi crecian mewn car-bach-coch, i fod
ar fainc ger ei bron am hydoedd, fore a phrynhawn
wrth giât y gladdfa, boed haf, boed gaeaf, fel
tywydd, fel amser ei hun, yn gi a ymbelennai'n
ddraenog ieuog wrth draed ei feistres driw
pan fyddai honno mewn hun yn ddi-hid amdano.

Do: deliais ef wedi codi o'i fainc i bicio
draw â'i drem at bridd nas cuddiai hi.
Wele rywun yno o hyd a'i disgwyliai ef,
rhywun ar ôl wedi'i adael gan ddadgripiad llanw.

Y llw ei hun 'fu farw, dim arall. Ond y byw
oedd ei wefusau hoff a addurnai hi mor fwyn
mor fynych, rhai a ynganai'i lw, gwefusau
a'r anadl drostynt a'r geiriau a dorrwyd rhwng
cadeiriau gyda'r hwyr, a'r prydau cytûn

a gyd-fwytawyd dan awch eu min: ni fynnent
heddiw gyfarch dim oddi ar y fainc ond doe.

A phan ddown innau heibio braidd yn swta,
clywn y gwefusau hynny'n tawel eirio
credo sy'n methu â darfod rhwng cariadon.
Clywn y gyfathrach a oedd yn ddiystyr i bawb.

'Bore da,' fy nghyfarchiad a atebai. Ond brysio'n ôl
ati a wnâi'i fyfyr. Pwy arall? Ble arall yr âi?
Gŵr hen a hardd ar fainc ddiogel: ni
theimlai'n gartrefol un man lle na châi moni.

Doedd fawr ohoni yno: ei phridd yn unig
a ymguddiai dan y pridd yn ei hun ei hun,
heb fymryn o fwlch rhyngddi mwy a'r clai a'r grut
a'r gro. Maes o law codai yntau'n araf a thaflu'i
gip tuag ati: 'Ga-i dy weld di eto?' Do,
onis clywais â'm clustiau fy hun, a'i ddeall yn burion,
y gwirionyn (bron) a garai yno, o'r braidd?

Am naw rhan o ddeg o'm hoes mi breswyliais i
ar bwys mynwentydd, ond eu nabod yn gymunedau nwyd.

FY FFON GERDDED

Gwialen ddewinol oet. Fe'th siglwn uwchben
y pridd, tan rodio'r sychder. Ystum
nid ofer oedd. Nid tric yn y syrcas
uwch fy sgidiau oet. Ond gwialen dewin-
dŵr, a'th dynnu ar y cerdded moel a melys
yn trawsffurfio anial gnawd ac anian rhawd
yn ffrydiad bro.

Batwn fuost imi hefyd, cyn y tewi, o flaen côr
o goesau a breichiau. Dawnsio drotian
a wnelwn ar lwyfan torlan, a'r holl oratorio
a ddôi gan draed yn tyrfu danaf
gan ymchwyddo'n gordiau a chan ollwng llais.
Mwydai hen dra-la-la yn fy modiau hefyd
dan d'arweiniad rhythmig.

Ti oedd fy midog. Codais i di
a gwanu'r Gofod; gwanais ddyrnaid
o Amser yntau: gefeilliaid gwag Afallon.
Gallwn ladd yr ymládd mewn pwyllgorau
o'th gael di gennyf. O'th lofio dylifai gwaed
pob blinder dripyn-dropyn
oddi ar lyfnder llafn.

Gwialen oet yn pysgota egwyl ar lan
llwybr, a'r oriau euraid yn gwibio igam-ogam
rhwng coesau brwyn, a'r haul yn dal esgyll
yr enydau nwydus, fy wythnosau llwyd,
ar ei fachyn creulon. Tyner yw'r tonnau'n
darfod. Dere inni hongian y mwydyn
yn eu bedd.

Ond heddiw nid y rhain yw dy sylwedd.
Math o wely ar lwybr wyt i mi, un culach
nag arfer. Gorweddaf yn glwyfedig ymlaen
yn dy gynhaliaeth fertigol wrth huno
o ddelwedd i ddelwedd tan chwyrnu. Arnat
mae fy niymadferthedd yn dibynnu'n
ofer. Breuddwydiaf ynot.

Amryddawn dy actio ham: boed wrth ddewino cordial, neu
dy gyfeiliant uchel wrth siglo i'r barrau olaf,
dy fidog wrth fodio fy nghlai yn ddiferog wych,
neu dy wialen yn dala â'i phlu ffo
fy nghyn-esgidiau . . . Eithr dy wâl sy'n wall
am na fedraf, wrth droi ar f'ystlys heno, lai
na chwympo bant.

DARLLEN YN Y GADAIR SIGLO

Mae'r gadair hon yr eisteddaf
ynddi'n cofio yn cofio iddi
fod yn uchel gyda changhennau
eraill â'i phen ymhlith gwiwerod
a nythod brain. A phan loliaf
ynddi mae'i chof yn suddo yn
suddo drwy 'nghluniau gan
bendwmpian ynof nes fy mod
yn siglo'n ôl ac ymlaen
ac yn ôl o fewn y ffansïon
am fes – ac yn rholio yn
rholio ymhlith blagur anwesol
ac angerddol eithr nid
angherddorol yr wybren.

Fry led y brigau sigledig, yn
rhyw bwt o aderyn, wy'n cynnal â'm
hesgyll dudalennau pren arall a
delora pan ddarllenir drwy'r dail
iraid gyfrinachau a gwefr rhannau
uchaf y goeden. Coeden o fewn
coeden, ac ynddi fan hyn yn
fy llyfr o fewn cadair caf
olrhain mydr y meddwl
yr esgorwyd ar ei sigladau gan awel,
yn ganu a eginodd yn dawel
o'r ddaear. Tan ysgwyd yn fy nwylo
mae'r goeden mewn coeden, sy â'i cherddi
mor fewnol, yn cyfrannu'i phill;
ac mae'r gyfrol yn gwefrio 'ngheinciau
amdani â deilios eu mydrau
a eiliwyd drwy fy moncyff.

Wele'r goeden â'i meddwl drwy'r sigl
hwn y darllenaf ynddo
yn dringo yn dringo mewn sudd
drwy foncyff, yn waed drwy'r gadair;
a mydrau fy nghyfrol yn adleisio, lleisio
mydrau y gadair sy'n siglo;
a'r haul mydryddol yn eu tynnu,
eu tynnu yn gasglwr cerrig
beddau bychain fel medi
cregyn oddi ar draeth, cyn
eu hadeiladu yn fy llyfr yn balas
i'w aderyn-oleuni. Drwy 'nghlustiau,
y traddodiad a ddodwya. A'u daear
a'm bwyda â'r bywyd drwy fywyd,
tan guddguriad cuddgariad ei thyfiant
'lan o haf i haf drwy fy nghoeden
dry'n gadwyn drwy lyfr, drwy gadair.

PLYMIWR

Un noson ar y leiaf o ynysoedd Groeg
gwelais Grwt tal a dihalog. Dihatrai
y rhai mwyaf rheiol o'i wisgoedd, a'i osgo
fel un a garai'n ddiflino. Gwyliais
y Llanc ifanc a safai ar ymyl
clogwyn tramawr. Nid Adonis, meddai'r
dynion, ond un a'i rhoddai'i hun
i donnau. Ei ddwylo a ddaliai i'r entrych.
Cydiai'n uchel yn y nen. Ac yna,
plymio i lawr ac i lawr dan lif
i'r lle y deilliai drwy rwyll dywyllwch.
(Hwyr tangnefeddus oedd hi, a'r machlud
a hudai dosturi i'r distawrwydd
fel oen yn dilyn bugail gorwyn i'r gorwel.)

Gan blymio i fath o fro frau
ciliai rhag heulwen a mentro cael rheg heli.
Gofalus nofiai drwy ogof lysnafedd.
Trawai'r dŵr ac ysu trwy'r du
yn isis nes cyrraedd, dan y cerrynt,
sorod. Yn y cyrrau tawel wele
gwasgarai'r tywod a chael, wrth chwalu
ac wrth labio bwlch, erthyl baw, darn
megis dim dan y dŵr llym a'r llacs.
O gydio ynddo a'i ddal, gwaedai'i
ddwylo. A gofid a larpiai ysgyfaint
ein gwadd o dan anghred y gwaddod trwchus.
Gofalus y gafaelai yn yr hedyn ffôl;
yna'n ôl anelai 'lan 'lan ac wedyn
'lan eto ar Ei liniau i'r clogwyn heb godwm;
a mynnai E'r haul, – er mwyn rhoi hyn o faw
yn Ei enw'i hun i'r nen yn fawl:
'Y Dwyfol di-fai, wele Dy fyd.'

CATHL Y CUSAN ENBYDUS
(gan brydydd barfog)

Oes, mae gen i gusan
gwreiddiol. Dest ti drwy'r gwreiddiau
tan wenu, yr ŵyr dewr. Rhaid
dy fod wedi sylwi o fewn ei lwyn
fod yna gariadon yn oedi.

Mangre felly ydyw, celynllwyn
lle na phawr nac oen na rheino;
ond yma y poraist ti.
Draenog o gusan yw, man wiw
i rywun huno dros ei aeaf.

Beglaist drwy'i weiren bigog
o dir neb tua'r ffrwydrad
rhadlon a'r gorwedd gwâr, ac allan
drwy ragor o'r llanastr llinynnau
yn fyw. Honni a wnâi hwn

yn ei ffordd gyson ei hun
fod eisiau inni'n dau sticio
gyda'n gilydd yn hyn o
annibendod, ond bod ym mhlyg
ambell berthynas – hen bigau.

Ond un dull i'th gadw rhag dy gosi,
rhag dy golli wrth gwympo drwy'r allt,
fyddai imi esgyn o'th fôn i'th frig.
Dere 'ma mychan i mi ollwng
fel aderyn fy nghusan yn dy wallt.

DAIL O'R DAIL
('Gwrychoedd da 'wna gymdogion da.')

Gwrych yw'r iaith
      goruwch yr eithin,
ac ynddo
      nythwn dan lydan
         aelodau'r
brigau plethog bregus.

Am dan y graig
      mi dynn y gwrych
fywyd
    o ddail
       a fwyda ddaer:
y dom sy'n dychwel i'r dail.

Ei gân
     sy'n iro'r gweinion
ddail
    i goleddu'r
      ddôl
rhag yr iâ sy'n rheg i'r awel.

Rhyndod y dail
     yw'r nodau o delyn
y berth.
     Ymguddiwn
       yn ei bôn
wrth i'r dail syrthio'n dail i'n dalen.

Ein dail
    a dâl ein dyled
fel rhiant
    yn gwaedu
      er ei phlantos.
Try elw o dwf y treulio.

Y gwynt
     a fyn geintach:
'Newidir
     yr irder
          yn adwy
gan angen hen ei ganghennau'i hunan.'

Ond myn yr hyn
     a rennir
nad ofer
     yw diferu
          ias,
ac nad er dim y neidiai'r dail:

'Actio ni ellir
     Gymreictod. Ynni
llaid
     fel gwrtaith
          a'i hennill ef.'
Gwrych fydd y geiriau a ocha:
'Dwg ein dail da gymdogion da.'

CYMDOGION Y LLWYBR

Rown i wedi dod i'r casgliad i bentrefi golli'r cnac
O fod yn bentrefi, nad oedd neb yn nabod neb
Mwyach, fod y trigolion oll wedi'u hallforio, na redai gwaed
Drwy'u bythynnod, fod y dinasoedd wedi estyn
Eu harddull led eu cymdeithas; ac yn yr esgyrn coll
Yr oedd rhew, ambell ddafn o asid iwrig, craciau chwerw,
Bylchau caled, maen. Byth eto i ddod yn ôl,
Ysgarthwyd yr hen gymdogaeth gan y car; . . .
Ac yna, gwelais ar Lwybr nid nepell o gartref, o dan
Gysgod y dref a anadlai ar ei war, rywbeth a barodd
Amau f'amheuaeth . . . Canlyniad nid amheus i brociad o'r fath.

Er ein bod yn dod yno o bobman, ar y Llwybr
Arhoswn fel pe baem yn gymdogion, pwyso ar y wal
Ddychmygol; a'n penelinoedd yn gyfforddus am egwyl nawr
Ar y gwynt, trafodwn y byd a bedydd. Garddwr
Fu Bil. Ond os yr olaf wyf i o dan lawogydd di-sŵn
I fentro sill o flaen y wraig am arddio,
Gyda Bil caf hanner awr o balu
Sgwrs cyn canlyn ymlaen am ganllath arall . . .
A! Dicw. Bricsiwr a ddatodwyd yw e, a Llafur rhonc;
Ond ar y Llwybr fe faddeua bopeth imi.
Clymblaid ydym . . . ein hymgais gyntaf i eistedd ar ffens.

Wedyn! 'Bore da, ledis.' Wele'r ddwy
A'u gast. Mae 'ngwraig yn ffug amheus pan soniaf
Imi gwrdd â'm 'ledis'. Ac ymatebaf innau'n
Daeogaidd – na'm pryfociai byth o gwrdd â hwy.
Cymdogion Llwybr ydynt, criw mainc yr wybren,
Cynllwynwyr yn erbyn diwedd taith, cyd-drigolion tro,
Mi ddônt mewn cytgord adar mân yn gyd-fwrlwm
Nes gweld y cloffyn drwy'u gwenau (a'u cyfarchion
Sy'n Gloria Patri). Yna, casglwn lun ar bentref wrth linc-
Loncian ar droetffordd, hwythau 'lan yr afon, finnau 'lawr:
Adar a adeiladodd Swyddfa'r Post drwy fawr drugaredd,
A'r tai'r un ffunud bron â bythod Tarzan.

O'r braidd fod 'na un efail y gof i'w chael ffordd hyn,
Mae'n wir, medd a ŵyr i mi; ac nid un dw-i
I gynhenna â gwybodusion ar bwnc mor oesol.
Ond mae gen i fy marn fy hun gan imi droeon
Mewn un man ger iris felen oedi am ysbaid
Gyda dyrnaid o hwyaid a dwy iâr-fach-yr-hesg
I wrando'u jôcs i gyd. Straeon a gariai'r
Rhain oll am y gwartheg cyfagos cyn dangos imi
Eu pedolau. Och adar! Yn hen hwyaid, yn hen
Hen bobol, heb ddim i'w wneud ond gwastraffu'u
Bywydau drwy foli'r awyr, a mydryddu'u calonnau
O gylch yr eingion am fendith cerddetian
Rhwng crib-y-pannwr, gan daeru mor braf
Ynghanol y brys ar ymyl y byd oedd cymdogion.

Ac os pentref, yna rhaid fydd cynnal Merched-y-Wawr,
A gofala'r llwyni ddarparu cangen i'r cyfryw
Blu. Yng nghymdogaeth y Llwybr y bydd pob aderyn yn hel
Clecs gan y ddaear odano, hanesion y borfa a'r gro,
Sibrydion yr wyf innau'n eu trysori dan adain fy nghof.
A phwy a'u beia os siglant ychydig ar ffris eu ffrogiau
Wrth glosio at ei gilydd, heb geisio'u harddangos yn ormodol?
Y rhain oll sy'n pyncio i'w gilydd, heb fawr
O nod ond bod y Llwybr yn ein cynnwys yn ei berthynas.
Gobeithio nad oes yr un arwyddbost i ddangos ble maent.

Pentref o ddraenllwyn bronfreithog a thawelwch yw'r Llwybr
Yn plygu ar orwelion, yn dysgu penlinio ger dŵr
Am fod geiriau'n anwylo'i gilydd, a sillafau'n ffrindiau.
Felly y mae'r Llwybr yn cerdded yn araf ynom
A'r defosiwn cyffredin yn eistedd yn llon ar lannau'n tro.
Ceir aroglau eira ambell waith, o hyd mewn lifrai eglwysig,
Gyda chyd-aelodaeth clychau'r gog yn diheintio cerrig ein llan:
Honno yw'r annedd a rôi ffurf, cyn dyfod y car, i'n pentref.
O gael pentref, rhaid oedd cael yn y canol lan,
Ond honno fel y disgwylid wrthi'n cenhadu bob man.

PENNANT MELANGELL

Rhuthrais drwy 'ngenedigaeth:
cyflymu wedyn. Roedd
yna Fyd ar f'ôl ar farch
a finnau ar wib, igam
ogam o gwm i gwm.
Nid oedd gennyf amser i fod
nes imi ddod at ryw fan:

cwm diwerth go serth ei goed
ond araf ei gerddediad
ar lan nant. Un cynt nag arfer
oeddwn yno ar ffo,
yn swil a go ofnog, yn
sgyfarnog, a giliai i odre
clogyn yr eglwys stond hon,

yn ail i dawelwch blewog. Hyd
yma y'm herlyniai'r Byd
ar gefn ei farch, a'i law
a'i chwip yn estynedig
yn erbyn nen. Rhag syniad
ei sŵn ciliwn, o dan
ymylon y wisg, hen racs
Melangell. Ac yno'n gryd

bu fy nghlustiau'n ddyrchafedig
tua'r arafwch diogel . . . 'Hel,
ar ei hôl waetgi, cais hi . . .'
dwrdiai Byd hyd draed bun
ddistadl yma, y ferch frenhinol
isel. A'r dawel a'm gwasgai
i gysgod ei goleuni. 'Hel,
gafael yn y gwyfyn,' sgrechai'r
chwys o'r chwip. A chrynwn.

'Hel?' Ond dan ei godre
ar bwys y maes parcio bach
caiff ysgyfarnogod mwy
drugaredd. Gan ei chysgod
i'r sawl a red, a rydd
ei einioes i gwrdd â'r wisg,
mi addewir tir maddeuant
drwy Sylwedd ing Melangell . . .
Nid yn ofer y naid ceinach
yn fechan dan ymyl y wisg.

MOSES A'R GOF

Gwylied fy nhad-yng-nghyfraith
yn saco'r harn i'r fflam
a gwylied y fflam yn ymdaith,
gan soddi i'r harn yn peidio
â bod yn harn, ac eto'n
graddol ymdebygu i'r oddaith
yn feddal blyg, yn rhudd,

y tân hwn lond y solid –
fel Moses yn dihatru o'r mynydd,
a'r hil, drwy rythu ar ei rudd
wrth ddisgyn, yn sylwi ar gynnud
uchod wedi treiglo ddod
i'w ên a'i lygaid a'i dalcen
a chyfrannu ynddo wedd amgen
heb iddo unman beidio â bod.

Moses nawr o dân sy'n dawdd
wedi llawn fabwysiadu llun
pedol nad ydyw'n hawdd
ei phlygu, ond yr un
pryd yn dân hoywfryd wyw
a ddywed bellach yn dawel,
'Cerddwch drosof Isräel;
martsia arnaf, fy Nuw.'

BYDDAR A BYDDAR

Pan fo byddar yn cwrdd â byddar,
  bydd y drws
ar draws y glust yn cael led y pen, gerllaw,
  ei luchio ar agor.

Llaw a wrendy ar law
  a'r dwylo hyn
yw'r syniadau sy'n eu rhyddhau. Drwy'r bysedd ysgawn
  y piana'r trymglyw.

Plygir barrau'r gân, a fu
  yn harn cyhyd,
fel ceinciau y bydd hogiau'n swingio arnynt. Y rhain
  ar jetiau dŵr yw'r peli.

Y rhain a gaiff etifeddiaeth ddawns,
  hunaniaeth sy
'n eu hunioni wrth i'w dwylo waltsio ynghyd
  tan glustfeinio.

Drwy'u tannau cnawdol hyn
  y tynnant dôn.
Cordiau yw'r erwydd esgyrn a'r bylchau rhyngddyn
  yn heniaith mor heini

sy'n dreiddiad wrth weld drwyddyn
  well na sŵn.
Diwellir eu diwylliant gan leferydd amgen
  y dwylo dwl-wan,

Y dwylo del sy'n pontio
  unigrwydd ag unigrwydd.
Ni a dosturiwn, ni, ond yn eu stori nhw
  siglo llaw yw pob osgo.

Mewn gwynt ar led mae'r brigau afrad
    yn ei chorelwi'n gynnes
ar gusan eu dail, a'u tynnu'n genedl
    i'w tiwnio'n adnabod.

Ac mewn boncyff y dônt yn gymuned drwy ffrwytho'n
    betalau tafod.
A thrwy ganghennau sy'n acennu i'r ddaear
    gwrandawant ar weled.

COESAU A BREICHIAU
(Ddiwrnod haf ar lan y môr)

Ar ambell ddiwrnod ffôl
o'r tu ôl i belydrau disgynnant
o'n cwmpas ar ein llygaid
o bobman fel gwylanod

ar domen-sbwriel. Fe'u teflir
hwy yn hwyrau'r haf i synnu'n
synhwyrau. Pili-palod
ydynt â meddalwch ar

y meddyliau, wedi chwalu'u
chwiler â nerth cyhyrau
cêl. Allwn-i ddim coelio
i honacw feddu ar freichiau.

Mae'n siŵr na fu mewn dŵr
erioed fôn coes mor fonheddig
gan hwnacw. Er mwyn yr hin
y dônt o gylla difancoll.

Hulir hwy ar hewl, ar do,
ma's o'r draeniau. Yn fy ngwallt,
aceri o gnawd anhysbys
cyfrin wedi'u chwydu

ar bob parchusrwydd gan siwtiau,
a'u tonnau'n tywallt yn erbyn
clogwyni caled ein llonyddwch,
gan ffrwydro lond ein palmentydd,

ac ar slent yn hyrddio'u glendidau
can. A! mi wn eu chwedl:
rhai o gysgaduron y gaeaf
ydynt, o hil gwiwerod,

wedi beiddio allan â'u cynffonnau
coch i hela cnau
neu rywbeth yn erbyn yr oerfel
i ddod. A heuliau'r tymor

yw'r cnau y buont yn eu hel
a'u cwato yn eu haelodau.
Ond sicr wyf fod eu drylliau
cnawd wedi allfudo o gelfyddyd.

Mae wedi dod yn arferiad
yn ein harlunio i daflu
rhan o fraich i'r awyr
i weld a fydd

yn glynu wrth bryfyn golau
sy'n pasio. Nid yw'r pryfyn
hwn yn ei dal; ac eto
nid etyl hynny neb

rhag cynnig iddo ddarn
o'r glun ddigyswllt, fel
damwain Miró, yn
breuddwydio'i sioc

wleidyddol ymhell o'i
chynefin, drwy chwarae'n gig
mewn awyr gyntefig, lle
yr hed chwilfrydedd

barcut. Heddiw fe daflwyd
y rhain ar draws llygaid
y llugoer, yn freichiau,
yn goesau, yn gusan.

Ac ar gynfas fy nghalon
glaniodd y clytiau oll, yn fyd
winciol o binc, yn fynegiant
o fendithiol gawl coch hafddydd.

AGOSRWYDD MEWN DINAS

Mae 'na elfen mewn dyn nad ydyw'n dda ganddi ddyn.
Dinasoedd yw ei declyn er mwyn cael peidio â gweld
cyd-ddynion, tywallta hwy, fesul hil, hyd sianeli
nihilaidd mewn agosrwydd, mae'n eu llithio o'r groth a'u gollwng
mewn bùn, mae'n tagu'i Gymraeg rhag y mentrai'i thafod
ei wneud yn fwy dynol. Dyw e ddim yn rhy
awyddus i'w bobol bara i weld beth ddaw
yn y dyfodol. Nid un o'r mangreoedd mwyaf
croesawus yw'r dyfodol, ta beth, fel nad od nad yw dyn
yn hoffi'r cysyniad o ddyn arall, o genedl arall.
Peidio ag adnabod yw'i fecanwaith wrth glosio at boblogaeth.

Mae 'na elfen mewn dyn sy'n mynnu ysgarthu'i enaid
ledled eneidiau. Mae'n chwith braidd i Olau Uwch-fioled,
lle y bo'n paratoi carth i'r môr, fod cymaint ar gael
mewn dynion. Eto, glew ganddynt fod yn aroglau'i gilydd
yn Addis Ababa, yn Dhaka, yn Jakarta, lle
y llwythir y dom ddi-waith drwy ddi-garthffosiaeth,
a'r llygod carpiog yn crwydro'u strydoedd fel plant,
y llygod 'wnaiff gynnig eu cyrff am dâl ychydig o glefyd.
Fel dynes stryd mae 'na ddawn mewn dyn na hoffa ddyn:
ym merw'r ddynes ddel y mae'r ddinas ddu;
a chuddio ynddi yw diwydiant dycnaf ffrwythlonaf Lagos.

GWLAD FY NADAU

1. Y Ffordd

Dyw'r iaith dwi'n sgrifennu ynddi ddim
yn bod: mae hi fel merched duon
dosbarth-canol â nam ar eu lleferydd.

Dwi'n codi'r cytseiniaid coll felly
â'm menig asbestos.

Lle bynnag yr af, er bod llafariaid
yn meddwl eu bod nhw'n barod
i neidio arna-i, maen nhw'n efrydd.
Maen nhw eisiau cyffwrdd â'm hystlys
a'u gweld eu hunain yn gleisiau
yn fy nghroen, ac yna gamleoli'r
allwedd; ond maen nhw'n gwybod fod
yr acenion eisoes yn methu ag
ymdrochi yno-i oherwydd y tywydd.

Nid dyma'r hyn dwi'n ddweud
felly. Gwranda arna-i â'th fyddardod,
wryw gwyn. Gwranda arna-i â'th wal
am funud. Dwi'n gwneud fy ngwaethaf
glas i fod yn fud.

Un peth sy heb fod gen i yw amser.
A'r hyn sy heb fod gen i, dyna'r
ffordd dwi'n caru'r hyn dwi'n sgrifennu ynddi.

2. Dŵr Coch heb Fod o Ganol Iwerydd

Sais cymesur cysurus
os di-waed oeddwn bob
dydd. Wrth ddirwyn fy lôn
bost o archfarchnad i ben
archfarchnad, cydymffurfiwn
â chanol yr Iwerydd. Yr oedd
y byd i gyd yn glyd
o hyd. Yna, o'r tu ôl

i doiled, tlotyn, tywysog
o dlotyn meddai fe,
ar lam am fy ngwar. Fe'm dylusgai
i'r pridd. Pwniai fy llygaid
a'm ceg. Stranciai carnifál
o laca am fy nghlustiau. Coelcerthai'r
carthion. 'Bydd,' meddai fe
yn Gymraeg fel yna. A bûm,

am eiliad, ar fin peidio
â pheidio. 'Bydd.' Brecwestai'i
gynddaredd ar fy nhrwyn. Yn ddisyfyd
fel jamborî o weirgloddiau, yn gân
drudwys ffwdanus a flodeuai o dan
ysgogiad melyn mul-ymylog
gan agor eu petalau'n eiriau,
a'r merched yn gollwng eu

tân-gwallt, dylifodd
allan ohonof fesul dihuno,
'Sut ma-i fywyd? Bore da
drannoeth. Mae'r bachgen yn
agor y gath, a'r drws
yn eistedd ar y mat.'
Ymaflwn, serch hynny, yn y
dim hwn, ysgyrnygwn, fe'i taflwn

oll i ffwrdd y lòb,
sgerbydwn, stranciai gorlif
o'i eiriau dros weddill
f'ysgwyddau, poerwn ma's
ei sydyn ymosodiad,
troeth, tom, pethau.
Ac yna, eisteddodd y gân
od hon o'i eiddo ar flaen fy nhrwyn,

ac am y tro cyntaf yn fy myw,
mewn gorawen fel ceiliog
dandi wedi cael iâr, fel
nant a ddaethai o hyd i
agorfa ma's o'r mynydd, fel
sbloet o wanwynau newydd-eu-
cyweirio gan ddwster fy ngwraig . . .
gwaedais: roedd yn un ffordd

o wlychu hyn o ddaear.

3. Gwlad gymedrol fach

Wlad wlyb, pa hawl oedd gen ti i dywallt
dros fy mhen y ffrwd weddnewidiol hon?
Tybiwn ar y dechrau mai'r cymhelliad
oedd fy ngolchi neu o leiaf fy ffresáu.
Sut y gallwn amau mai fy moddi oedd dy nod?

Ni ddwedodd neb wrthyf mai dagrau
oedd y rhain a dywalltet mor jocôs
dros fy ngwallt, dros fy mochau wrth imi
orwedd fan yma yn glaf, neu'n cogio
bod yn glaf yn fy ngwely, wlad fach.

Dramwywr sy'n pasio, a fyddet mor garedig
ag estyn tywel o'r silff acw a dod ag ef
i sychu'r wlad afrad hon o'm llygaid?
Pe bai wedi tyfu'n fwy, byddwn wedi mynd
ar goll. Pe crebachasai'n llai ni sylwaswn.

4. Ha! Wlad

Nid am faes Pilleth rŷm ni'n ffoli arnat ti,
    a'r tamborinau-gleddyfau'n eli i'n clyw,
dy ddagr a'th hir-a-thoddeidiau'n llymeitian bri
    mewn brol Hi! Hi! ymysg cysuron briw
ein Bannockburn ni; ac nid am Hyddgen ychwaith
    wrth chwerthin am ben gelyn ledled llawr
a'n hanrhydedd ni fel paladr yn ei graith
    yn siglo'n llaith i arddangos ein campau cawr;
ond am glown mawr Cilmeri, ac am y brau
    daearol y gellid mor glau ei golli, am
    yr un, mor hawddgar, er mor unplyg gam
y medrir boddi'i ffun a baweiddio'i ffau.
    Na, nid am gyrn gogonedd, nac am firi
    blagur adferiad. Ein holl jôc yw tosturi.

5. Hen Wlad yr Hadau

Hwrê hwrê am yr hyn sy'n dal
i weithio – yr anferthedd trwyn
heb ffrwyn ar ei ffrwd; cic
y blas cas mewn ceg (lludw
yng ngwaelod grât);
ac O'r! mor delaid doiled
(mynych-ei-adnabyddiaeth) ambell waith.

Tri bloedd a thri arall o blaid
y pethau sy ar ôl – y tri
blewyn llon ar ben
y corun (dail derwen o dywydd
Ionawr), yr un Hunllef Arthureitis,
a'r ddau beth dwi'n gallu'u cofio
ynglŷn â'r wlad . . . na, na, un.

A haleliwia bach yw'r wlad oherwydd
mai'i chymalau mecanyddol yw
henwraig gydag atodyn o groen
gweddill sy'n dal i grafu weithiau,
yn llygoden gloff sy'n cario
llwyaid (rhydodd y llwy hefyd)
o egni i'w chornel neilltuedig.

'Weithiau mae'n well felly beidio
â bod yn rhan o sŵn
y byd. Gwynfyd yw taflu'r
boen o geisio lle. Ceisiwn
estyn serch at ymatal. Mae ein
coflaid am ysgwyddau mudandod
yn ysgafn ac yn hen,'

meddai'r hen wrachen grin. 'Am rai
rhesymau y mae'n well fel hyn,
– bod yn gyfrinachol, bod
yn is. I'r taeog nad yw
mae anwybod yn llenwi'r bwlch
rhyngddo a'r angof maddeuol
yn gadarn a gwydn. Yn erw
sy'n cydffurfio yr ydym ni'n falch
heb gyfrifoldeb ac yn bloeddio
hwrê am heneiddio mor anniddig.

Tri bloedd felly i'r fro sy'n
neolithig ei phenliniau a'i gwar
oblegid hon druan sy'n hadu hyd y wlad.'

6. In Extremis

Allwch-chi ddim casáu'r Cymry sy'n casáu'r
Gymraeg. Dych chi'n eu gweld nhw ar eu cefnau yma
ac acw led y maes. Ar eu siwtiau, llwtra.
Yn eu gwallt, blerwch fföedigaeth swydd
a sws. Maen nhw'n methu â chanfod y forwyn
yn rhedeg yn noeth drwy'r cymoedd. Does dim
amcan ganddyn nhw beth maen nhw'n ei golli.
A dywed hi, 'Fe rof iti bob peth,
gobaith, gwin, a harddwch na all chwain ei fesur.'
A dywedant hwy wrth y mecanwaith, 'Rhowch
y gythreules hon yn ei lle, wnewch chi.' Allwch chi ddim
eu casáu. Maen nhw ar bango ar egwyddor.
Dych chi'n gweld eu hanafau'n gollwng y crawn
Cymreig-ar-wasgar. Mae eu llygaid llonydd
wedi'u treulio wrth sbïo tuag allan; ond
mae'r allanol nawr o fewn yr ymylon, tra bo'r canol
yn hongian dros ddibyn yr ymyl. Na,
allwch-chi ddim casáu'r drysau sy'n casáu'r
gwynt. Does gyda nhw ddim ond dolffiniaid,
morfilod, 'fe wnaethon ni'n gorau, rŷn ni'n
estron ymhlith enwau lleoedd, yn dwristiaid
yn y Steddfod.' Ysgyrion gwlad yw maes-y-gad, yn methu
â dod o hyd i undod heb amrywiaeth
ond yn y gladdfa. Sut gallwch chi eu gwrthwynebu,
gelanedd smỳg ar eu cefnau? Sut
y gallwch chi ddal i sbïo arnyn nhw
o'ch lloches niwclear heb fentro allan
ar flaenau'ch bodiau i'w claddu? Haeddan-nhw
gan yr awdurdodau, o leiaf, Gynhebrwng Gwladwriaeth.

7. Shoah

Petai'n haws i'w dysgu, byddem ni'n
Gymry parotach. Pe na fynnai hi chwys
byddem ni'n frwd ynghylch byw . . .
A gwyliwn ni'r geiriau'n
dirwyn drwy'r simneiau
fel anadl felynaidd.
O dan eu ceseiliau
fiolinau'n cael eu diffodd.
Gwyliwn hwy'n llosgi
yng ngheg pyllau caeedig:
gwyliwn benolau'r gorffennol
yn dysgu tawelwch o dan
wialen denau'r simneiau.
Dysgwch y ferf 'os'.
Dim ond tawelwch
a all barablu'r
diarhebion oedd i fod,
y salmau sy'n
fwg uwch y gwersyll.
Gwyliwn y cerddi'n hepian
o fewn pentwr o sgidiau.
Allwn ni ddim eu hailfeddwl,
allwn ni ddim cyd-deimlo,
all neb byth gystadlu
â'r Iddewon draw.

Ond o leiaf, maen nhw
wedi dangos nad oes
dim ar ôl wedi'r
holl losgi penglogau
ond rhagor o dân,
na neb chwaith yn barod
i siarad â ni
yn gleniach na
chelanedd.

8. Comed

Hyrddiodd y gomed-cyn-'Dolig i mewn i ganol
fy mhobol.
Gwaetgoch ei llygaid a sgrech ei chynffon
yn don lanw
a gludai odinebau. Ciciai'r bydysawd
hi
tu hwnt i'w ffin ac allan o'r gêm
i orweddian
ar ein daear ni rhwng dant y llew
a'r meillion
lle nad oedd ond sorod. Cyn
y gallai
ddadmer beth, chwiliem ninnau
drwy ddeilios
poen amdani, y benglog wedi'i drysu,
fe'i chwiliem
wedi'r drin rhwng dant y llew a'r meillion
yn ddyrnaid
o orffennol. Chwiliem am gall a gollwyd.
Hon yw'r hyn
y mae'r byd am ei ddinistrio.
Rhyfedd
hefyd, gan fod y gomed yn fwy na'r byd
i gyd.
Yn rhes angau y chwiliem, yn uned CB2,
carchar
Columbia. Mae'n bwysig disgwyl fan yna
amdani,
ymysg hogiau duon hagar, annerbyniol
mewn parlyrau,
megis llond rhych o wledydd bychain.
Hyddysg
oeddynt mewn diweddu. Meistrolasant eisoes

y grefft
hylaw o ddwyfil o foltiau ar gylchdaith
o gwmpas
y lleuad. Gyda sachliain ar draws eu pennau
(myfyriol
fel mynachod Ystrad Fflur). Cyd-ddisgwyl
gyda hwy
bob amser gyda llaw yr oedd y gadair
a'r strapiau
lledr yn llywethau llac a hongiai
am ei harleisiau,
a'i hangau yn gwahodd â'i freichiau drwy'r
twnnel
tyner ffalopiaidd tyn tuag at
un smotyn
o fflachio gwyn sy'n atynnu draw.
Un smotyn
o gomed yn chwil o gylch y llygredd
i gyd,
roedd yn ddigon i'n claddu oll. Fy mhobl
yn y gadair
a'r echlif nerfus o'i chefn — dal
dy drwyn —
yn ollyngfa i'w gwanc mewn ffatri'n ffrwtian
o'i gwythiennau,
gwelais ei phlastig yn tyfu lyfu
o lannau
fy newronau mor chwim â thawelwch, a thybiais
fod gen i
broblem. Roedd ganddo Ef hefyd broblem.
Fedrai Fe
ddim bychanu ofnadwyaeth yr asid a dyfnder
cynnydd
y ceir gwrthodedig yn ymlusgo fel morloi
at ymylon

fy nibyn. Dim syndod bod Ei drwyn
yn cwyno
wrth ddisgwyl i'n carthion arthio arno.
Mor amyneddgar
ydoedd. O'm pant yr hedai'r stecs
a'r stŵr
gan inc fy nychan ar hyd f'aelodau
i'r diddos
garthffosydd yn llawn dop o arswyd. O'm pant
yr hyrddiai'r
gomed drwy'r capeli llwydion a'r ordinhadau
dan draed.
Bu farw'r rhagdybiau rhyddfrydig yn y ffrwydrad.
Ac aeth
y bydysawd am dro â'i chwilotwr-metel
i blith pethau
cyffredin i chwilio am y gomed benderfynol.
Roedd ganddi
dystysgrif i'w hanobaith yn ei phoced.
Ar honno
dywedid, 'Geiriadur yw pob peth'. Ac yn wir,
wrth symud
ar hyd y traeth, termau, dim ond termau oedd
y 'dehongliad'.
Ond dan draed y chwilotwr caed pethau bychain
a lefarai,
pethau mân, cartrefol, disylw, di-bŵer:
'Clod
yw maip. Llefain emynau 'wna'r menyn.
Cyffyrddwch
â fforc, a throsoch y llifa'r Llall.
Darganfyddwch
eich bys wrth ei ostwng mewn hufen a'i godi'n
ddil
hafaidd i'ch tafod. Ac yn y cyffredin

y mae
pob peth.' Y rhain sy'n perswadio mai cnawdoli
yw hanes.
Poerodd y gomed ei rhagluniaeth am y pethau
bach hyn
dan draed. Ond doedd dim eisiau ond dweud:
'Mae.'
A gwelir Ei fod Ef ynddynt, llenwir
yr eithaf.
Fydd dim esgus dros beidio â sylwi.
Gomedi
o gomed, dy chwaer di a'm chwaer i yw'r
ddaear
ddel: y mae, does dim syndod dy fod
yn profi'r
fath ysgwyd yn d'esgyrn – ond y mae ei gwallt
yn donnog.
Pan fydd hi'n trengi hyd at yr angau
sy'n dweud
plygu, sy'n dweud codi drwy angen, drwy ddiolch,
y mae
y fam a'i rhin bêr fymryn bach
dan y papur
losinau a'r caniau côc, does dim
syndod
fod dy lwnc yn fud. Y mae. Bydd. Un peth
a ddysg
comed yw pan fydd y byd oll
yn hollt
dan ffrwydr ymwelydd, y mae
llais: 'Ymestynna
yn hedd y borfa a'th lofruddiodd. A'r estyn
dwylo
hwnnw a'th ryddha i'r awyr. Cyfod wedyn Gymru
uwch Bethlehem.'

9. Dychymyg

Am y tywysogion
palu a wnaethom gelwyddau.
Ni allem ddibynnu arnynt
fwy nag ar y werin ffraeth, hogiau.
Ond yr awydd i gelwydda
oedd ein gobaith.
Chwilio roedd y celwyddau
yn yr ystafell-ddatblygu-
lluniau am eu llun go iawn
eu hun. Lobscows oedd yr hanes,
llai o lobscows mewn dysgl oedd y llun.
Hynny, o'i dderbyn yn gynnil, a lowciasom.
Drwy ddelfryd ein celwyddau
adeiladasom ganolfannau
etifeddiaeth lle y gellid
am bunten gyffwrdd â'r
tywysogion a ddiflannodd,
fel y gallai'r canrifoedd,
y buom yn cerdded
drwyddynt, gerdded drwom
ni. Anwylasom yn y pentrefi gwneud
anwireddau lu am ein gwlad (O! D'wysog)
mewn dysgl. Eto, nid celwydd
yn hollol oedd un eiliad welw o
araf flasu'r llun ei hun a hiraethai yno
am weld bodolaeth tywysogion.

RHIEINGERDD I BECHOD

(1) Y Dechrau

Pechod wyt ti, f'anwylyd barod, o'th ben
  i'r bawd. Gwyddost mewn chwys, ewyllys, gwaed
a diddim am hwn yn cordeddu drwy bob rhan
  o'th chwirligwgan. Fe'th arlwywyd iddo'n fwyd.
Pechod wyt bob cornel. Penuchel, yn nannedd Duw,
  dy ddewis call ymhlaid y llall. 'Pa hawl
sy gan fy Heliwr i'm gorchymyn?' Baw
  dy gyfalaw, 'nghariad hardd, sy lond yr hewl;
ac Angau wyt. Mae'i yngan balch ym mhob
  haenen ohonot yn honni drwot: 'fi
biau bob ynni ynddi; 'n gaws drwy'i drwg.' Dy nam
  fu ceisio gwyrgamu'r Nen, 'mhechadur cu . . .
Eto, dan ras, derbyniaist berthynas Baban; a'th gri
droes y Bychan ei hun yn Bechod drosot ti.

(2) Un ymdrech olaf

Dwi'n gwneud fy gorau glas i feddiannu pwyll
  wrth grwydro dyffryn dwys f'anwylyd i
a chwiliaf dan gopa'i phen am synnwyr y geill
  sobrwydd ystyried nad yw'n ormod o ail i chwa
hopys. Ond dwi'n cael dim trafferth i fod yn ddwl
  yn hon pan fyddo'i gwastadeddau cain
di-bobl neu'i llannau lu yn llawn o lol
  gymdogol neu bob cwm glofaol yn ffraeth i'm ffroen.

A phan fo'i glannau hi'n croesawu fy storm
  a chwŷd ar hyd ei llu o glogwyni iach
gan ddisodli craig, neu'r môr tu ôl yn fferm
  a'i llond o wartheg gwallgof, a phan fo'r llanw'n drech,
cwyd y gwylanod drachefn ar eu nwyd, a naid
yr olygfa chwil yn llewygfa chwâl i'm traed.

(3) Dod i gyfrif

Cant-y-cant,
dim milran fân a rôi
fwlch i wynt anaemig caru gwan
dreiddio rhwng gwefusau'r ddau.

Ond cant-y-cant
o nabod, o gyd-ymostwng, ac o fod, –
trwco gwên, gwaed, traed, dant
a'r holl organau'n glod

Gant-y-cant
fel y bo'r ddau bron â thoddi'n llwyr
dan un obsesiwn, un sŵn siant
yn gwau drwy'u ffau o hwyr i hwyr,

A'u maddeuant
yn eu sillafu'n air ynghyd
sy'n weddi drwyddynt gant-y-cant,
a'r Llall yn dallu'u bryd

Gant-y-cant. A phan
drewir chwyth, ryw dro, a chwant,
pan rwygir un yn gan
tristáu, bydd gwae – Ow! gant-y-cant.

(4) Heglwch hi – cyn iddi ffrwydro

'Lawr dy lethrau tuchan-Tachwedd
Rwyf yn sglefrio a'r gwynt yn gwefrio
'Nghlustiau tra bo gwyndra'r serthni'n
Cludo 'ngwyndra mwyn mynwesol
Dros droadau'n drysu pefrio

'Nhresi nes i allt enbydus
Fentro 'ngwallt yn argoeddedig
Na chyrhaeddaf hyd y godre
Heb i'm pen o fewn dy eira'n
Uncnawd gladdu'i arwahanrwydd.
Yn fy mreichiau, yn y dwylo
Daliaf aroglau pêr peryglus.
Rhaid ei gario drwy'r gwynt cantro
Lle mae popeth am ei ddryllio.
Seithug nawr fai aros eiliad
A chableddus. Nid oes safle
Sy'n fy mygwth yn amgenach
Nag addoliad truan trwyndro.

Gwaredigol yw'r cyflymdra
A thrawsffurfir yn yr awel
'Nghnawd a'm hysbryd, mwy na chnodwe,
Hedyn yn dy groen a'th gyhyr
Iach, ystlysau, bronnau ebrwydd,
Ysgwydd, cefn. Mae'r holl drawsnewid
Yn ein mêr yn corddi cerddi
Lle myn cyrff sy'n gan syrthiedig
Ennill gwynt ynghynt drwy'u hantur
A chael ias y claddu cryno
Wedi profi'u llyffetheirio'n
Rhydd ym mhefr lluwchfeydd llawn croeso
Ac yn efrau breichiau hyfryd,
Gwyn yn anwes enaid hyfryd,
Gwyn a thrawsffurfiedig hefyd,
Er mwyn diffodd hyn o ffiwsio
Dan domennydd serch diflino
Wrth im heglu parth â'r ffrwydro
'Lawr dy lethrau llithr a llathraid
Er nad yw yn gorffen yno.

(5) Y Drafnidiaeth rhyngom

Dylai fod 'na lwybr syth rhwng dy lygaid cân
    a hynny o lygaid sy gen i. Casglaf yn aml
      i'm golwg dreulio tipyn ar y borfa seml
rhyngom. Eto'n bur reolaidd ymhyllt y lôn,
heb yr un bengaead er cyrraedd pen draw
    ar sawl is-lwybr, yn draffyrdd llawn trofeydd.
      Dylswn hen nabod y siwrnai union hon hyd wraidd
dy wenau fel yr edwyn io-io ei sigl i law
yn ôl. Dylwn allu dilyn hyd y pen drwy fy hun
    ei labrinth elfennol, fy nhrofa, fy nrysfa gudd,
f'un llwybr. Ond heddiw drachefn dyma faglu ganlyn
amlder o reilffyrdd trydanol tra dinod a sawl cangen
      i'r dibyn. Does dim syndod imi arddangos o'r herwydd
y feunyddiol athrylith ddigyrrith o golli pen.

(6) Patrwm Parry-Williams

Dwy gelain. Dau furgyn fan hyn ar ymyl hewl –
Dau dwr o ddrewdod, a'r clêr yn dod ar daith
I domi, dau achos galar, dau y mae'n rhaid
Ymorol i'w claddu rywbryd, ond cael nawr
Ddysglaid o de yn gyntaf; dau a gadd
Eu cyfle unwaith ganrifoedd maith yn ôl,
Dau beth na haeddent ddim, dau ddim a fu
Yn hel pechodau fel casglu stampiau, dwy
Wythïen y tywalltwyd i mewn i'w geudeb rodd
O fywyd nas enillwyd i lenwi'r mymryn bwlch
Nad oes a'i mesur, dau orfoledd dur a ŵyr
Paham, a dwy drem yn craffu drwy un Pen.

(7) Nid y diwedd

Ie, requiem wyt ti. A rhifaf i yng ngwe
    d'ysgerbwd bibau gwynion. Prydferth ydynt
am dy galon megis organ. Mwyn eu tro
    wedi'u cerfio'n unswydd i gân. Ond i'm hadloniant

na ad i'r corff sy'n frawd i frad byth chwythu
    drwyddynt ei unawd ei hun fel ped arweiniai'r dôn:
ni seinia ond yr amlwg. Mentraist dewi
    er mwyn y gerdd glysach a glywaist ti'n

gynghanedd am Waredwr, drwy dy benglog
    aeth hosanna hyd dy sanau. Cynigiaist ti
â gwyleidd-dra dy gelain i Gerddor anweledig
    'rydd awel fras yn dy utgorn hyd y fro.

Efô, y Pibydd tlawd, 'chwyth drwot. A ddwedi
yn fendith hyd at f'ysbryd . . . 'Amen i minnau fyddi'?

(8) Lle bynnag rwyt ti, mae'n wyliau

Pedantiaid a fynnai fod 'na gynifer â
rhyw dri a deugain o hafau go grwn
er pan gyd-heuliwyd ni. A cheisiaf i
ymatal rhag ymryson gan 'mod i dan
ryw fath o bendro beunydd, er bod gen
i fymryn prawf na allai fod yn fwy na
phedair wythnos, a'r rheina yn llai chwâl
eu chwŷs nag arfer, i ddau ym mrys mis mêl.

(9) Ebychair

Parablu hyn o iaith a wna pobol anniddorol.
Ni fynnent amgen. Fe'i gwnânt yn eithaf boddhaol.
Ond yn groes i bob callineb mi fyn hon
Dy barablu di, fy mun! Mi ddaw'n gyforiog
A'i bochau'n llawn o ffrwythau dy ffonemau llon
A'i llygaid yn drydanedig gan forffemau pefriog!
Pan yngana ynot fy nghariad, llafar iawn mewn clod
Fydd dy gael yn ferf: cysylltair nawr yw'n hundod!
Mwynhad fydd d'enw i'm tafod! Myn caneuon
Dy hoffi o hyd, a'u llwnc yn twymo i'th ddarganfod.
Gan yr iaith y'th ebychir, felly. Gwyddwn yn burion
Na fedrai hi ynof ond ynganu rhywbeth gwirion!

(10) Atal dweud

Rhwystr yw dy ffurf ar ffordd fy llefaru. Er nas cred y
        rhelyw, maen tramgwydd yw honno: yn allanol
dwi'n cael anhawster i gloffi o A i Y
        os wyt ti'n byw'n O yn y canol.
Ceisiais ei dadansoddi: mae a wnelo
        rywfaint â threngi. Ti yw'r un fwyaf byw
y beglais drosti erioed. Rwy'n marw yno
        gan gamddeall mai cael fy ngeni yw
rhan o'r proses o ymatal. Yn ddigrif-ddwys
        mae a wnelo ag atal cenhedlu: yn y cyfarfod
rhyngom, yn gorfforol drwy beidio ar dy bwys
        bydd marw (O! wrthddywediad) ynot wrthi'n darfod.
Ac eto, rhwng A ac Y pan oedwn rhag siarad
bywheir ein cyfathreb bron fel pe ceid beichiogiad
wrth i daw frolio mai efô yw'r esgorwr ar gariad.

(11) Anghyffelybiaeth

Dyw hi ddim yn gyffelyb. Ond crwydraf i drwy gae
    tawelach a rhyddach nag arfer, hyd nes dof
i'w phont a gadael i'm golygon gael eu cloi
        gan fronnydd mân a'u cario yn fy nghof
            (hyn o leiaf a rof)
yn ôl drwy gesail gallt; neu os trof mewn ambell lan
    lle na welir torf ond bod yr ychydig am
fy nghyfarch yn y bore, syniaf yn llon
        fy mod yn symud drwyddi. A phob cam
           (neu'n hytrach, llam)
o fewn y coed pan droediaf o fewn ei gwên,
    o'm cwmpas mae hi'n ddaearyddiaeth bro
a'i hanes. Ymestynna'i hesgeiriau oll ei hun
    a'i chefnen tua'r glesni sydd yn dro
        (wedi mynd o'i go)
o fewn cylch fy mraich, mor wirion ac mor ddoeth
i'w pori fel pe bawn yn llo mewn lloc yn gaeth.

(12) Ysbryd y Synhwyrau

Persawr moronen ffres o'i phridd
drwy eirinen a rannwyd yn ei hanner
ynghyd â gwyddfid celwyddog,

a'r rheini hyd y grisiau gyda'r hwyr . . .
Ti fu lond fy ffroenau, wedi hybu
heibio megis meirwon wedi gadael

dy feddyliau i feddalu fel
miwsig a folwyd, fel anadl ysgafn
yn crynu'i loniant dail ar y dydd brau.

Perthynas oedd pob dim – cnau castan
ar y ffwrn, afal gwlanog yng ngenau
rhoces, boreau glas gyda blas grawnwin –
ti a fi.

Perthynas oedd y blas. Coronbleth pob sain
a synnwyr oedd dy gwmni.
Tybiwn wrth gwrs fod croen
a gogwydd esgyrn yn egni;

Ond perthyn fu'r gwrando hefyd.
Mi roed yr henaint heini,
y cusanau olaf-eu-gwylltineb
a'r chwant chwim inni yn gwmni.

O'th weld, gad imi berthyn iti,
Hen ladi fy nghalon. Fy nwli
Yw cadw'r enydau hyn o sêr
Yn gyd-gaethweision o gwmni.

Ac yn y cwmni hwnnw caed
mwy na gwaed dau'n gyd-gorddi.
Hud yw fel y try dy un i a'm hun i
yn dri pan fo'r ysbryd yn fabi.

(13) Y Tân yn Casglu Atgofion

Gyferbyn yn awr â thi
Mae'r cof cyferbyn yn crwydro
Rhwng gwrychoedd. Ai duo y mae
Y llwybrau gwynion, i'n rhwydo
Linc-di-lonc drwy symud ar drywydd
Llencyndod gyda'n gilydd?

A'm llygaid gyferbyn â thi
Yn crwydro, ai dowcio a fynnant
Drwy lensys plygeinwyn a nawf
Mewn syndod o fôr amhendant
A'n breichiau'n symud rhwng llifogydd
Gan hel cyn don wrth ei gilydd?

Gyferbyn, beth 'ddwed crin afiaith?
Ai coffáu am wybren esgyniad
Y cydsymud drwy uchder diffyg
Anadl a doai grib cread
Yng nghrwydradau nen ieuengddydd
Ar adenydd gwefusau'n gilydd?

Na! 'n hytrach gyferbyn â'n gilydd
A thithau nawr mor hen â hinon,
A mi'n henebyn llon hefyd,
Llosgi 'wna'n tân ei atgofion
Yn isel, a'n mwg i'r tragywydd
A gilia drwy ludw'n gilydd.

(14) Oes ac Eiliad

Buost wrthi'n ddygn am bump a thrigain mlynedd
yn naddu'r marmor hwn i'w ddwyn i lun
dillyn. Ystyriaist ti mewn dwys amynedd
pa fodd y rhiniet fochgern binc â chŷn.
A rhoist ti d'enaid mewn gwefusau glân,
mewn clust dy ysbryd. Cerfiaist aelodau celfydd
yn gylchoedd cryf ac yn harmonïau mân
o gân o'm cylch weledigaeth mesuronydd.

Wedyn, des innau â'm teclyn ymennydd. Chwip
roedd gen i ffotograff mewn soned dwt
o'r gwychder oll. Ond 'ddaliai hwnnw ddim namyn cip

ar geinder, gên yn gam a boch yn bwt.
Distrywiais y cerflun praff gan dalu ag awr
ry gwta. Mi'th gamluniais drwy dila fawl.
Ond plediaf fy achos: cwympodd un graig i'r llawr
a'm claddu'n sydyn gynt. Fe'm gwasgwyd dani
nes i nos dywyllu 'ngweld ac i'm harwahanrwydd cawr
orwedd ar draws fy mydrau i flotio 'nghopi.
Pa ryfedd felly nad yw gwerth y llun yn fawr?
Pwy a ddisgwyliai amgen gan anadl bardd sy'n fâl
dan nos o garreg fewnol? Eithr tydi â'th wawr
'ddatblyga lun cadarnhaol unol o'i negydd chwâl.

(15) Crafer y trwyn

Crafer y trwyn, a beth sy dano? Pechod.
Dy foch, a beth 'geir dani? Mwy o foch
wedi crwydro o'th wallt a heibio draw i'th dafod
i dyrchu hyd d'ysgyfaint cu â'u rhoch.

Oherwydd tydi, fy nhi fel fi, yn fyth, yw'r methu
â gogoneddu diben byd. Drwy ôl
dy wythiennau y mae'r gwaed yn diwyd ballu
cario hagrwch y carthbwll i ffwrdd o gôl
yr harddwch.
            Eto, mor addfwyn yw anghyfiawnder.
Sut hynny? Sut yr anwylaf Bechod, hon,
nid yr ymddygiad gwrthgymdeithasol na'r rhester
o ddiffygion yn Ei erbyn Ef? Yn y dyfnder llon,
lle cydrochia ein calonnau drwy farrau edifeirwch,
fe ddaw Meichiad Pechod a ddyd faddeuant tri drwy'r trwch.

(16) Y diwedd

Dest ataf ar siawns. Teflais oes i'th olwyn dro
yng nghasino rhagluniaeth. A mentrais hap i rod

lle na allwn lai nag ennill talp o'r ne'
ar yr echel chwil. Troellasom fel moroedd byd
wrth imi rolio yn chwyrliad d'ysbryd di. Dy gnawd
arian ymdrochwn ynddo. Buasai machlud dy donnau
aur o'th aelodau'n cylchu am ben fy rhawd
fel ffortiwn lladronydd unfraich. Yn ewyn dy fronnau
perl a newydd sbon, Ho! Ho! yr oedd dy wallt
yn llanw imi o enillion. Frenhines diffyg, dere di
gyda mi nawr i benlinio dan y tasgion hallt
a chyfri'r bendithion sy'n ein cylchu yno'n ffri –
heb fantolen gerbron Ei allor, cofio'r tro
tuag ato ynghyd, cofio'r môr bawdd hwn a fu
yn amgylchfyd inni ger hyn o fanc yr ymdaflwn at
ei sicrwydd di-goll i ti, di-goll i mi, fy Met.

MARWNAD I BLENTYN

Ceir ambell ing na fedr rhyw lipryn tafod
ei gylchu. Ceir hunllefau lle nad yw adnod
gysurlon (er gallu ei chynnig a'i chredu'n braf)
yn weddus ar y pryd. Nid oes eli am lawer haf
rhag cydocheneidio, cydwylo yn y gwaddod
ar led pob nerf. Methir â choelio fod hyn
yn gallu digwydd, fod disgwyl i glwt o fod
gario'r fath ddagrau. Mae ambell rwyg na bydd
un wraig a fedr ei wnïo, sy'n eich rhewi felly bob dydd
a nos, na dderfydd, nad oes cynhesu rhagddo, a fyn
eich dilladu tra pery bywyd. A welodd hyn
gan fam a thad, hwnnw 'brawf hyd graidd y gelyn
na adewir anadl iddo yntau ar ôl, ar ôl y bychanigyn:
ceir udo y tu mewn na wŷr sut mae
ei dagu. Yn erbyn mur y domen ludded
y cura'r mudandod heb fynd: mae'r garreg yn wae.

Troir i chwilio i mewn i'r tu mewn caeth.
Ond ni ellir namyn ailyngan, aeth ac aeth.
Rhoir ambell friw a guddia fwy o fyw o'r canfed
nag un bywyd. Gwyllt, gwyllt y rhed y fam drwy'r rhwnc
yn sgwrs feunosol ei meddwl: nid oes 'r un newid pwnc.
A all fod chwerthin drachefn? A all 'r un angel
oddi tan domennydd o arswyd ganu clod?
Dim ond halwynau'r llygaid a fentrai ganfod
yr wyneb mêl a gelwyd, y llygaid nad oes iddynt sianel
drwy'r dyfroedd dwfn sy'n glawr dros weld sy'n fraw,
y dyfroedd a gais, drwy'r galar, orchuddio'r gweled islaw.

Eto, er gwaetha'r diateb, oblegid y diateb llwm
trawsffurfir gloesion drwy alcemi'r gofyn gwyllt
pan gura, pan hyrddia'r dyrnau ar y drws
uwchben. Yn y pen ulw gwag pan ymlusga, pan hyllt

yr ing i'r cyfarfod anferth, wedi gorddio'r porth
nes daw'r gwaed o bren y carwr plant, â'i dorth,
fel y tu ôl i bob rhwystredigaeth rhag aduno â'r tlws
yn nirdyniad y wayw a wea, isod mae cael cwlwm
y cyffwrdd newydd. Yr angen a'i tyn – allan o godwm
ac uchod o'r diddim – y dadnewynu; ac yma
wrth allor poen, a'i bwysau ar y lludw, mi benlinia
Oen gyda chwi. Y Duw o flaen traed Duw, ynghrwm:
drwy ffydd bydd baich yno'n amhosibl o leilai trwm.

Ceir gloes mor ddwys, a'i phwysau mor ddiamgyffred,
dim ond Un a fu'n llef ei hun 'fedrai byth ei gwared.

MARWNAD I GANTOR

(Ysgogwyd y gerdd gan ddau ddigwyddiad. Yn y tri phennill cyntaf
mwyalchen sy'n cael ei lladd ar Ffordd Llanbadarn, Aberystwyth.
Seiliwyd y tri phennill olaf ar hanes arwriaeth dau ddyn yn lladd
Mark Jones ar yr un diwrnod ym mis Mai 1994 yng Nghaerdydd.
Dywedir mai'r hyn a'u cynhyrfodd oedd ei fod yn canu yn y
Gymraeg.)

Bydd ein hewl ni yn hoffi lladd cathod;
Ond heddiw mwyalchen a dwtiwyd yn friwgig.
Dw-i ddim yn sicr iawn am gathod,
Ond credaf fy mod yn amgyffred y diffyg
Mewn mwyalchod. Eu cynganeddion yw'r pla:

Cyhuddiad i draffig yw eu cyhoeddiad
Moesoldeb. Eu mydr yw'r hyn sy'n atgoffa
Am y glendid lle ceir un o gaethion cariad
Mor driw i'w wraig (ych) â chwerthin eu plentyn,
Ac am lancesi a brifiai heb eu harfogi

Â chyffuriau. Nihiliaeth yw'r hiliaeth ar y delyn
Sy'n eu cyfeilio. Ac felly'r ceir sy'n anelu
Rownd corneli goleuedig, mor hedonistig eu hamcan
Ar daith undonog, . . . nid cwbl ddiadwaith
Fydd y byddardod i werthoedd yr ednod ychwaith.

A dyma fi heddiw yn clywed am gân
A drywanwyd oblegid ei bod hi wedi dod o'n parabl
Anghyfiaith. Erbyn hyn dyn ni'n disgwyl hyn. Ar wahân
I siarad yr hen beth fel pe bai'n firagl,
Ei chanu hefyd! Bobol bach, beth fyddai'r effaith

Ar blant? Cynt na'r cywasgu swyddogol
Gan ymerodraeth, cynt na'r esgeuluso masnachol
Yw'r carthu gan lwfrdra. Ond chwarae teg, mae'r wlad
Wedi bod yn gofyn amdani. Un cam yn ôl
O siarad sydd i ganu. Cam arall mi geid ffug adfywiad.

Ym mhob 'dim' mae yna reswm. Onid Saesneg a wnaed
I siarad? Os dymunwch aros ar eich traed
Gymru, gwyddoch y ffordd: yn eich 'dim' chi
Tawed rhwng waliau. Ond os mynnwch dywallt eich gwaed
Drwy gân Gymraeg, plop atebith eich tafod pla.

MARWNAD I IDDEW

(atgof am gyrraedd gorsaf yr ugeinfed ganrif)

Roedd trên
wedi tin-droi am hoe ar ei hald
i Treblinka yng ngorsaf Malk-rywbeth:
winciodd ei lygad yno am foment.
Achubodd Iddew'r cyfle i gael cwaff
wrth far yr oesoedd. Cychwynnodd
ei gerbyd, a gwibiodd yntau ar ei ôl
rhag ofn colli'r maes, colli gafael.
Nid â gwenithfaen y codwn
gofadail iddo ond â myrdd
canrifoedd anghofus. Doedd dim
hyd yn oed pentref yn y pen-
draw nes iddo gyrraedd. Dim pwys o gwbl
i'r lle, er iddo ennill enw. Dim,
ynghyd â distawrwydd a dystiai daeraf,
distawrwydd y wlad iach lle bu
Iddewon lle y maent, ond palu.

Styllod cig ar y platfform
wedi'r siwrneio, haelfrydedd o styllod
hil, tair mil o'r pum mil a fuasai
yn y trên diorffen nawr wedi'u hysgafnhau'n
styllod, y naill ar gof y llall
ar y platfform, styllod
trwynhir na raid fu afradu
nwy arnynt. Nid â gwenithfaen
y codwn fraw rhagom ein hun, nid
â chofadail yr ofnwn ein
hisymwybodau. Cyraeddasant
y nod, eu gorsaf olaf cyn
gollwng stêm: mi geir, heb chwilio,
ambell gyrraedd pryd y mae'r
ddaear i gyd yn gyrraedd.

Erbyn y tro nesaf caf finnau
f'enwaedu. Mae gennyf
eisoes drwyn, a chan
fod y gwersylloedd wedi'u cau
am y tro, caf ymuniaethu gyda'r
criw'n well drwy siâp felly.
O barch at lawfeddygon
dyma fwyell: croeso i'r seler:
Sela. Dadadeilada, procia
fy nghorneli tywyll, pryfocia
fy hil ymguddiol nes i'r
fwyell ddisgyn ar fy atgof, clec –
dyna ollyngdod eto, frawd – ymaith.

MARWNAD I BOSTMON

Ar lif y rhifau gwylia yn dod
y postmon, o dŷ i dŷ . . . Am dy fod
wedi clywed am y llythyr lawer tro, –
math o gylchlythyr, ymddengys fod ganddo
ystum o hamdden, ond os edrychi
ar ei sgidiau, mae ei frys yn fisi.
Does dim angen iddo arddangos
pwysigrwydd ei wisg, ac os
ffyliaid yw'r rhai a â at y glwyd
i'w groesawu, gobeithiant y cwyd
ei het gan addef camsynied.

Nid yw'r ci'n ei ddychryn led
palmentydd, nis gorchuddir gan hudlath
o eira. Rhyfeddi at y fath
ymdrech i ddosbarthu cylchlythyr
mor anfeidrol ystrydebol os byr
ac annealladwy: bìl yw;
a'i arch yw 'dere'. Mae'i ymliw
yn cynnwys bydysawd. Na'th gamarweinier
gan ei egwyddorol ddiffyg amser
na chan aml sawr ar yr amlen.

Cyrhaedda yn brydlon ei ddiben:
bu disgwyl yn hir adeiladu
ym mol y plentyn ac ym mru
y llances lun y deipysgrif. Caed
siars wedi'i gosod wrth dy draed
henwr, uwch d'angof, uwch pob pleth,
na chynnwys namyn yr un gair cryno
o gryndodrwydd i rai – nid treth,
na gwŷs am yrru'n rhy glau – yno
fel darn o asgwrn mewn cuddle,

fel rhuddin pren nas canfyddir: 'Dere.'
A'i stamp, sy'n cario wyneb Brenin
go lew o ddieithr, a rowd arno yn gyfewin.

Heddiw o'r diwedd cyrhaedda fwth
Jones y Post, a gwagio'i lith drwy'i geg lwth.
Yn ei fro ei hun, yn amyneddgar o dan y to,
gwybydd hwnnw'n union beth i'w wneud ag o.
Diau i bobun bostio'i lythyr ei hun â hyn o newydd
rywbryd. I rywrai pos yw. I rai mae'r nos yn ddineges.
Ond i Jôs mae'n fusnes. Erys yn llythyrgludydd.
Er iddo gael ei gyfeirio i frawdle
â'i gennad, nid ymfuda Jones yn safnrhwth:
oblegid caiff y bedd ei hun ddod adre
ynddo, a'r llythyr gwag syrthio drwy geule.
Oherwydd, o wybod ei gynnwys 'wna Jones ond apelio
at ddyn y stamp i'w ateb â chreithiau'i ddwylo.

MOLAWD I FOL

Rhodiai fy modiau mud
ar hyd y croen distaw petrus, y croen petalog,
y croen difurmur marmor mwyn, ar hyd y bol brenhinol,
gan ddilyn ei ffurf fel *braille*,
y Gair yn y di-iaith, y Crëwr na wybu'i
greu, y Ceidwad i'w gadw mewn calon a'i ddarllen
o lythyren i lythyren
fy mysedd, ar ongl, ar gylch,
heibio i'r bogail tua'r
Bugail gan synhwyro serchiadau fy niffyg symudiad maith.

Ysgydiwn fy modiau yn ysgawn
ar ben cromen Mair, uwch yr eglwys gadeiriol o fol
rhwng bwtresi hedegog lle nad oes ond y corau di-gân,
a meddwl am y ceudod
eang, gyda'r caddug bron yn llond y gangell,
ceudod y disgwyl gwaedlyd, a duwdod y ceudod dedwydd.
Gorweddai'r bol arni
ac amdani fel glob
didramwy, gan ei hamgáu
o'i mewn ei hun mewn myfyrdod didrugaredd o dywyll,

A'r ceudod drwy'r ddaear
yn cadw'r lle y mudai'r mwydon yn seirff, daear
drom o Eferestau nad ofer eu dringo hyd eu hanwylaf entrychion.
Ond hei! Adeiladwr byd,
Deiliwr regalia, Saer Mair, buost wrthi'n codi'r bol
hwn erioed, a rhwydd y cwblheaist yr uchder rhadlon rhydd
yn y tywyllwch llachar
lle y geill dringwyr hongian
eu harswyd ar lein uwchben
eu tyllau chwys sy'n bwrw'u braw tuag at Arglwydd y diddim diddig,

Syndod y Dyndod
yn grwn yma fel cread yn clymu gwagle'n
gymdeithas wrth eneidiau'r planedau. Heusor y gofodau gwych:
sbïa'r lle y ffurfiwyd
bydysawd o dan fogail (yr arloeswr craith) megis
potensial o betheuach ar draws difancoll a ddisgwyliai'i
adlunio. O fewn anfod anghenus
hen, sy'n gwythiennu
rhwng y sêr a'r amserau, hed
Brenin y Gwaelodion, hen Absen, heb ddim un gwag yn Ei
gynnwys.

Fan yma y bu'n bywyd
ni'n enbyd o ysbrydol. Yna, fflach, ma's o'r dim byd
(ar wahân i gariad) wele – bethau, ymgnawdoliad o Oleuni,
glob yn ei breseb.
Clec! fan yma y buon ni wrthi'n sobr o arallfydol, a rhaid
ei bod ar y pryd ychydig bach yn debyg i dragwyddoldeb,
a dyma ormod o fom
o gyfanfyd, ffrwydrad
o reidrwydd, gofod caled ac amser
yn chwalfa o drefnus, yn ynni o union, gyda'r addurniadau,

Chwaraeon yr uchelwydd,
balwnau, craceri a lot fawr o waed. Fan yma
roedd ein bryd ysbrydol enbyd. Ac yna, ych! anrhegion dros-ben
-llestri fel thus
(ta beth yr ŷs – rhywbeth gweddus i stabl siŵr o fod),
ac yn y stabl wele ddyn glwth ac yfwr gwin, digon o greadigaeth
i bawb a phopeth a gormodedd
o ddiod yng Nghana i feddwl Cymru
a Llanrwst – blwch yr ennaint,
pysgod a thorthau dros y lle, gweddwon yn rhoi mwy na'u gallu

I'r deml dew, a mater,
mater, mater yn wala a gweddill, cnau, y goleuadau,
y gwastraff, celain ar bren celyn, a'u sylwedd oll mewn baban
ar dir gwir. Gyda chyfarfyddiad
y cread a'r crud, gwasgwyd y bydysawd newydd, yr ail-
greu nas crewyd, i mewn i gadachau gwlân. Buasai'r
Ysbryd yn rhodio
ar hyd dyfroedd Mair
a bu . . . Ew! goleuni
rhwng morddwydydd, goleuni da a wahanwyd yn un â ni.

Yr awen ac awel yr awen
yw'r gerdd fer sy'n ffrwydro i'r gweld, y Gair didewi
yn air bach yng ngenau'r plentyn. Mae'n newid pob peth
wrth fod, yr ystyr sy'n wahanol
oherwydd i'r distawrwydd breblan yn dân diddiffodd gwyn
ar ei haelwyd. Haleliwia ar hyd y dyfroedd! Wele
mae'r wlad aruchel arall
wedi ymwasgu i'n tomen hon
a'i throed yn fydr yn ein pridd
wrth i'r gwrthwyneb ddawnsio'n gysain yn y gwag sillafau agos.

Agorodd ei môr coch iddo
dreiglo drwodd. Ef a fu'n wawl mwyn, yn dwyn i'n daear
lysiau a ffrwythau, a physgod yn heigio rhwng ei donnau,
yw'r Duwdod yn dido wrth
ddolur â'i ddelw ar lywodraethwr y ddaear, y tenant
sy'n tiwnio'i fawl, fel un prynhawn, wedi'r dioddef iawn,
wedi'r trengi i fedd
rhydd, dyma'r trydydd cread
ei hun dan ei goron sgarlad
a oedd yn nod i'r ail. Buasai'r gri ar y groes yn arloesi

Cri'r geni ac yn atsain
mewn gloes i'r gair cyntaf oll a doddai o'r diddim,

fel y daeth Hwn allan o'r gwaedu du i ddarfod i mewn
        i ddarfodedigaeth
fy nghalon i. Caed codi popeth drwyddo, wele hanfod popeth
ynddo, yr oedd bywyd popeth amdano – a ganwyd o'i fewn ef
        bob einioes i dywynnu –
            yn weledig.
      A chan fobio o'i phorthladd o fol mewn preseb o arch
wele ar frig y tonnau'n well na phob gwawr bob gwawr yn cerdded.

TAIR GALWEDIGAETH MICHELANGELO BUONARROTI

(i D. S. J.)

Droeon, gerbron y caled, llusgai ymaith
    o'i graig (drwy blisgo 'bant y gorchudd gau)
berson fu'n gêl. Darganfu Gread drwy chwarelu
    a difa'r drwg. Dôi hynt fu ynghynt ynghau.

Droeon, pan oedd gerbron y meddal, dodai
    ychwanegiad lle na chaed cig a gwaed o'r blaen
ar y cynfas llipa. Dehongliad a gâi o'r Cread
    o adio bod 'oedd yn byw drwy baent ar daen.

Ond anwel fuasai'u hanfod ill dau oni lunnid
    eu sŵn gan soned. Addefai na fuasai yno fodd
i'r naill na'r llall, na'r tynnu na'r atodiad,
    adfywio 'maes o'u marwolaethau cladd
oni bai i'r atgyfodiad gan y Gair diddarfod
    droi i'w eiriau gariad byw drwy Gread bedd.

O BLAID TAWELWCH

Ildiaf. Ofer fyddai ffrochi
erbyn cyrraedd fan hyn
yn erbyn d'ystrydeb wiw, dawelwch triw. Tydi
biau'r dôn. Dy lais anhyglyw
yw'r gwir.
Cydsyniai rhai â thi: cytunaf finnau yn y terfyn ulw;

ac ildiaf fy mraw
i'r taw, ildiaf fel lleuad.
Alla-i ddim bellach ond oedi yn dy gwmni cawr,
oherwydd nawr dwi'n methu â bod
yn unig;
yn awr dwi'n methu'n lân ond d'adlewyrchu.

Pynciai rhamantwyr
yng ngŵydd d'affwys oer
ac o'th gylch eu lloer hysterig. Mi udaist ti
ddistawrwydd amgen. Ond ceisiaf finnau
gyfrif sawl
mil o gusanau sy mewn llyn, er mwyn corlannu

eu diffyg sain drwy 'ngho'.
Angoraf yn y llyn. Angoraf
yn hyn o henaint cyn hwylio fy nghyfathreb heb lais
tuag at y glannau. Gair yw dy gwmni fel
cydymdeimlad
chwyth. Ond o'i flaen siffrwd wna'r llyw yn fy llaw.

Tynnais y llenni ar wahân
a'r fan yna roedd hen
ffrindiau wrthi'n cynhyrchu'r diffyg seiniau o'r dwfn,
ac roeddet tithau Gantre'r Gwaelod yn
ddiflandod dan
fy nghusanau gwan; a thithau, leuad fechan,

nid oeddet ond yn froc
ar frig teid fy nghofleidiad
yn bobian 'nôl o'r Cantre i dangnefedd ufudd yr entrych.
Nid oeddech oll namyn llawr dan draed
pan ymollyngwn
i rodio tonnau'r llanw. Awelon ar enaid yw tawelwch.

Ond wele'r Gair a wnaed yn ust
a phreswylio mewn clust.
Nid absennol mono 'man 'na. Tybiwyd mai mewn marw y'i
caed
ar ei orau glas, mai'r person nad yw yw'r
ateb i'm hymchwil;
eto, digon byw ei gynnwys fu'i dangnefedd tew.

Estyn anwes a fynnai Hwn.
Cynigiai â'i fraich
gynnwys dy anwes o flaen mainc y Farn lle taenaf
fy llwythi o hunanoldeb o gefn
sawl lorri,
a phlediaf yr Haul yn fy lle â'i rawnwin rhinwedd.

Y ffrindiau a wybu'r gwir
sy'n dal i ddysgu tangnefedd
a hynny'n byddaru sawl bydysawd. Ochr yn ochr â gwacter
y rhai nas profai ond pryfed, a fodlonasai
ar fod yn bethau,
caed hefyd absenoldeb ychydig yn llawnach na phopeth.

'Nos da,' meddai'r glaswelltyn
sy'n beth, 'ha, hawyr, dyma'r bywyd.
Dim ond fi a edwyn fap emrallt y lawnt ddi-ddweud.
Dyma hwyl. Myfi a flasodd anfarwoldeb
y gaeaf
a miwsig tanddaearol, annaearol distawrwydd diberson.'

Ond nid gwag yw blynyddoedd
pob plygu pen. Disgynnodd
tystiolaeth y ffrindiau a'i gwybu o'r sêr lle myn
y cerddi fynd ar eu gliniau. Yno
hefyd disgynnodd
canrifoedd yn gyfeillach. Ni all y gwlith lai na phrofi

yn union isod ymhle
mae'r datguddiad yn cwato heno
fel clip. Eu pellterau a nesaodd. Atgyfodwyd ystyr
o'r distawrwydd. Cafwyd gorlif o arwyddocâd
fel dagrau rhy dlawd
i letya mewn llygaid pren. Canys amgen na glaswellt yw
ysbryd.

Un ateb a roir gan yr wybren:
ymddiried benbaladr
i nwyf y brenhinol dangnefedd ym mhegwn persain
y dwyrain, neu ar dywyn Llanddwyn cyn
dod, yn ymosodol,
lwyr adnabod rhodfeydd y tir gan yr holl brysurwyr.

Yno nid erys eisiau mân
siarad i gynnal adnabod,
fel na raid arddangos perthyn. Ni fedr yr absenoldeb
fyddaru neb â'i daro taranog. Dwys
dwrw'r glust
fu distawrwydd; ond telyn y galon yw tawelwch.

Y Gair hwn, hwn a lefara
mewn diffyg stŵr
sy'n isel ei ysgwyddau, yn llai na diflaniad ar lawr
amdanaf. Er na raid gwrthdystio'n groch
mae'n llwyddo
i gynnull pob synnwyr i gorlan y llonyddwch.

A'i gariad, y Gair hwn,
mewn llygaid tragwyddol rhwng
planedau, sy'n preblan ei wenau, a thrwy ofodau'r
presen sy'n isel gyniwair led yr awyr
i'n hanadlu
drwy drylwyr ildio i'w synnwyr. Mor dal yw'r ymatal mawr.